Janos Molnar. Né à Budapest en 1932. Etudes de lettres. Jeune journaliste à l'organe du parti, *Szabad Nép*, il est mêlé aux événements de 1956. Après l'écrasement du soulèvement hongrois, il participe à la réorganisation de la police politique et est plus précisément chargé des intellectuels. Séjourne à Moscou de 1959 à 1967. A son retour définitif, M. Molnar est nommé vice-ministre de l'Intérieur. D'après les spécialistes, son rôle dans l'appareil d'Etat semble largement excéder ses attributions officielles.

Tadeusz Boczek. Né en 1914 à Wilno. Père rabbin. Etudes de philosophie. Entre au parti communiste polonais à seize ans et s'y forge une réputation de théoricien en même temps que d'organisateur. Lorsque le parti est dissous en 1938 par le Komintern, M. Boczek échappe à l'élimination physique. Action clandestine durant la Seconde Guerre mondiale. M. Boczek devient par la suite membre titulaire du bureau politique et il joue un rôle idéologique prépondérant jusqu'en 1967. A cette date, la vague d'antisémitisme, destinée notamment à masquer les échecs économiques du régime, entraîne sa destitution. Il disparaît définitivement, semble-t-il, de la vie politique.

Ion Nicolescu. Né dans le delta du Danube en 1918. Sa vie est mal connue jusqu'en 1945, où il revient de Russie avec le groupe "moscovite" de Georghiu-Dej. Membre de la police politique, la Securitate, il est chargé des épurations en 1951, mais limogé à son tour en 1952 et placé en résidence surveillée jusqu'en 1957. De nouvelles purges favorisent alors son retour aux affaires. M. Nicolescu voyage beaucoup et est, durant plusieurs années, l'un des principaux porte-parole de la très active diplomatie roumaine. Depuis 1970, il est membre du Comité Central et a repris de hautes fonctions à la Securitate. On s'accorde à considérer M. Nicolescu comme un "homme qui monte" depuis quelques années.

Vasil Stroyanov. Né en 1920 ou 1921. Origine paysanne. Chef des partisans dans les Rhodopes et l'un des plus courageux résistants bulgares, il fait partie du premier gouvernement Dimitrov en 1946-1947. Discrédité pour cause de "titisme", il sera réhabilité en 1956 avant de devenir le responsable du "grand bond en avant" de la paysannerie. L'entreprise est un échec. Désormais, après avoir été ambassadeur en Suisse, M. Stroyanov n'aura plus pour fonction — largement honorifique — que la responsabilité du "Front de la Patrie", organisme de propagande interne. Son prestige auprès des masses populaires reste cependant important.

Pavel Havelka. Né en 1915 dans la banlieue de Prague. Ancien social-démocrate avant le "coup de Prague" (1948). En réalité, proche du P.C. qui l'invitera à participer au gouvernement Gottwald. Interné et condamné comme "élément nationaliste-bourgeois" au moment du procès Slansky (1951). Libéré en 1963 et nommé au ministère de la Culture, où il apparaît comme un libéral contribuant activement au renouveau du "printemps de Prague". Après l'écrasement de la Tchécoslovaquie, M. Havelka n'est pas inquiété et participe à la reprise en main du pays en se rapprochant de la fraction centriste du parti où il joue incontestablement un rôle-clé.

Evgueni Golozov. Né en Ukraine en 1918. A été ouvrier et a adhéré très jeune au parti. Etudes de langues à l'université de Moscou (français, anglais, allemand, roumain, hongrois, langues slaves). Nombreuses décorations pour actes de bravoure au cours de la Seconde Guerre mondiale, où il est blessé plusieurs fois. Ensuite, la carrière de M. Golozov, qui s'est faite entièrement dans l'ombre de celle de M. Vassili Tchevtchenko, est mal connue. M. Golozov est membre du Comité Central.

Günther Schütz. Né en 1930 à Leipzig. Père militaire. Etudes de philosophie puis d'économie. Connu pour ses articles scientifiques dès 1955, M. Schütz apparaît notamment comme l'un des plus fervents avocats de l'érection du mur de Berlin en 1961. Nommé expert auprès du Politburo est-allemand, il se signale par ses prises de position favorables aux purges de l'Association des Ecrivains et il s'oppose à la réhabilitation d'artistes "bourgeois". A partir de 1965, il dirige l'école supérieure du parti en RDA. En 1970, il est nommé au COMECON, organisme au sein duquel il paraît jouer un rôle essentiel depuis 1976 environ. M. Schütz est l'auteur de nombreux ouvrages largement traduits dans les pays de l'Est.

PARTIE DE CHASSE

SCENARIO PIERRE CHRISTIN
IMAGES ENKI BILAL

DARGAUD EDITEUR

PARIS • BARCELONE • LAUSANNE • LONDRES • MILAN • MONTREAL • NEW YORK • STUTTGART

"Vous vous êtes habitué au pouvoir
comme à la viande saignante."

György Konràd

Dépôt légal mars 1985 n° 8202
ISBN 2-205-02424-8
I S S N 0758-4571
Imprimé en France - Publiphotoffset 75011 Paris - en mars 1985
Printed in France

CZASZYN
ГБД

АЯ СТР
СССР
СПР

IL EST TARD...
OUI...

TU N'AS PAS SOMMEIL, CAMARADE?
J'AI EU TOUT LE TEMPS DE DORMIR PENDANT LE VOYAGE...

...ET LUI, TU CROIS QU'IL DORT ?
PEUT-ÊTRE ...

...OU PEUT-ÊTRE PAS... IL NE DORT PRESQUE PLUS...
PARLE MOI DE LUI ...
10

ALORS REPRENONS DE LA VODKA !
JE CROIS QUE POUR MOI DU THÉ FERAIT MIEUX L'AFFAIRE...

TU PLAISANTES ?
DRRRR

ПРИНЕСИ НАМ ЕЩЁ ВОДКИ !
СЕЙЧАС !

AU FOND, TU ME RAPPELLES MA JEUNESSE, QUAND C'EST MOI QUI FINISSAIS MES ÉTUDES À L'UNIVERSITÉ DE MOSCOU ...
POURQUOI CELA ?

PARCE QUE MOI AUSSI JE VOULAIS COMPRENDRE CE QUI S'ÉTAIT VRAIMENT PASSÉ... DANS NOTRE CAMP, IL ARRIVE QUE L'HISTOIRE SOIT CHANGEANTE COMME TU SAIS...
TOUT DE MÊME ...

ПОЖАЛУЙСТА...
OUI... IL NE FAUDRAIT PAS LE DIRE AINSI EN PRINCIPE... ET POURTANT, IL Y A PLUSIEURS MANIÈRES DE RACONTER LA TRÈS LONGUE VIE D'UN HÉROS DE LA RÉVOLUTION...

VASSILI ALEXANDROVITCH TCHEVTCHENKO A ÉTÉ MÊLÉ À TANT DE CHOSES CONTRA-DICTOIRES VOIS-TU...
ПРАВДА
СЕМЬЕЙ ЕДИНОЙ
ФАКЕЛ МИРА И ДРУЖБЫ
3A

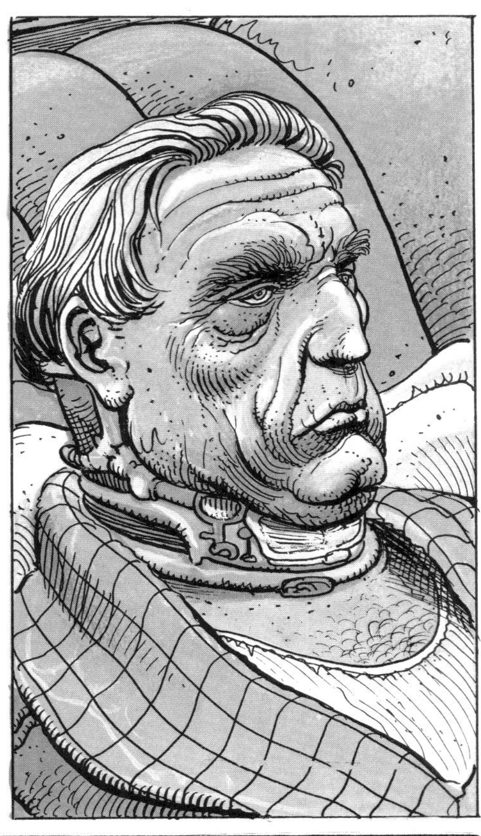

1 МАЯ 1920 ГО
ЧЕРЕЗ ОБЛОМКИ КАПИТАЛИЗМА К ВСЕМИ
DES CHOSES QUE L'ON PEUT PRÉSENTER SOUS LA LU-MIÈRE EXAL-TANTE DE LA CONSTRUCTION DU SOCIALISME ...

LA RENCONTRE DU JEUNE VASSILI ALEXAN-DROVITCH, QUI A ALORS À PEINE VINGT ANS AVEC LÉNINE ET LES BOLCHEVIKS, EN EXIL ...
3B

LA PARTICIPATION AU SOVIET DE PETROGRAD ET LA PRISE DU PALAIS D'HIVER UN CERTAIN SOIR DE L'AUTOMNE 1917...

LA CONSTITUTION DES PREMIERS DÉTACHEMENTS DE L'ARMÉE ROUGE QUI SE FORGE DANS LA LUTTE CONTRE LES OPPOSANTS EXTÉRIEURS ET INTÉRIEURS AU RÉGIME...
VASSILI ALEXANDROVITCH M'A SOUVENT PARLÉ DE SON PLUS VALEUREUX COMBATTANT D'ALORS, LE BRAVE MOUJIK SANS ÂGE, TIOUCHENKO...
4

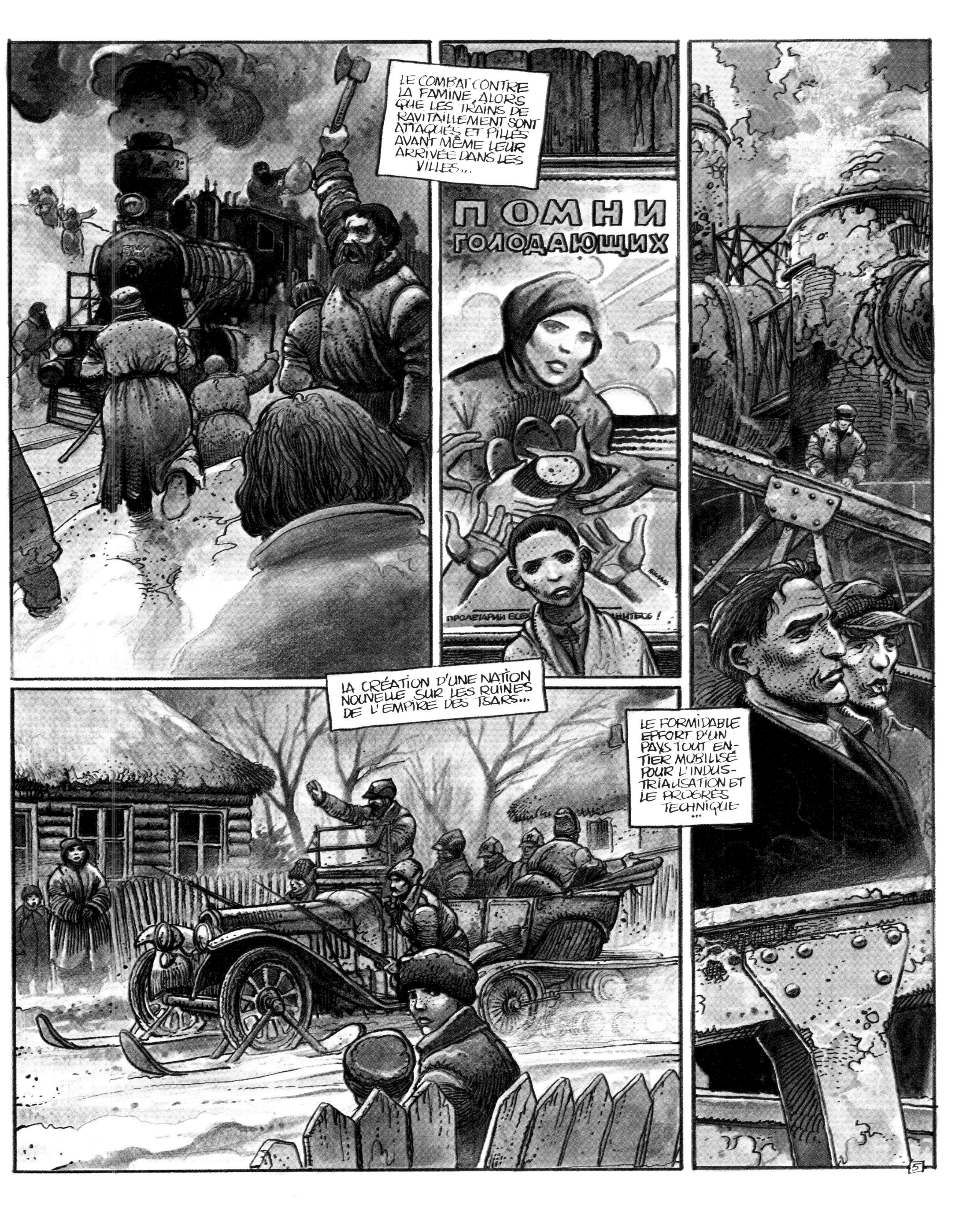
LE COMBAT CONTRE LA FAMINE, ALORS QUE LES TRAINS DE RAVITAILLEMENT SONT ATTAQUÉS ET PILLÉS AVANT MÊME LEUR ARRIVÉE DANS LES VILLES...
ПОМНИ ГОЛОДАЮЩИХ
LA CRÉATION D'UNE NATION NOUVELLE SUR LES RUINES DE L'EMPIRE DES TSARS...
LE FORMIDABLE EFFORT D'UN PAYS TOUT ENTIER MOBILISÉ POUR L'INDUSTRIALISATION ET LE PROGRÈS TECHNIQUE...
5

ET PUIS, BIEN PLUS TARD UNE GUERRE HÉROÏQUE CONTRE LES ENVAHISSEURS ALLEMANDS...

OUI, TOUT CELA EST VRAI ET TOUT CELA LE GÉNÉRAL VASSILI ALEXANDROVITCH TCHEVTCHENKO L'A VÉCU AUX AVANT-POSTES...

MAIS ON PEUT AUSSI PRÉSENTER CES CHOSES DIFFÉREMMENT, JEUNE CAMARADE, TU LE SAIS BIEN.....

LA TCHÉKA, LE GUÉPÉOU, LE NKVD, LE KGB, POUR VOUS AUTRES OCCIDENTAUX CE NE SONT QUE DES NOMS FASCINANTS OU INQUIÉTANTS D'ORGANISMES POLICIERS...

MAIS POUR LES MARINS RÉVOLUTIONNAIRES DE CRONSTADT QUI EN 1921 SE SOULÈVENT CONTRE LE NOUVEAU POUVOIR AU CRI TERRIBLE DE "MORT AUX BOLCHEVIKS, VIVENT LES SOVIETS"...

POUR LES GÉORGIENS INDÉPENDANTS ET POUR BIEN D'AUTRES PEUPLES CONTRAINTS ET FORCÉS DE REJOINDRE L'UNION ...

POUR LES MOUJIKS PASSÉS PAR LES ARMES PARCE QU'ILS RÉSISTENT À LA COLLECTIVISATION EN SE FAISANT INCENDIAIRES DÉSESPÉRÉS...

POUR LES VICTIMES DES PURGES QUI SERONT ARRÊTÉES, DÉPORTÉES, FUSILLÉES OU MIEUX ENCORE, SUICIDÉES...

POUR LES RÉVOLUTIONNAIRES DE LA VIEILLE GARDE PRÉPOSÉS AUX RÔLES DE TRAÎTRES DANS LES GRANDS PROCÈS DES ANNÉES TRENTE...

POUR TOUS CEUX-LÀ ET POUR TANT D'AUTRES DISPARUS, OUBLIÉS À JAMAIS, L'HISTOIRE N'A PAS LA MÊME COULEUR...

ET CETTE HISTOIRE-LÀ VASSILI ALEXANDROVITCH A AUSSI CONTRIBUÉ À L'ÉCRIRE...

TU AS DES PAROLES BIEN DURES...
ET TU CRAINS PEUT-ÊTRE QU'IL LES ENTENDE?

NE M'AS-TU PAS DIT QUE LE FRANÇAIS ÉTAIT LA SEULE LANGUE ÉTRANGÈRE QU'IL AIMAIT PRATIQUER?
EN EFFET... ET SANS DOUTE NOUS COMPREND-IL... MAIS C'ÉTAIT PARFOIS SON LANGAGE, DES SOIRS COMME CELUI-CI, OÙ NOUS BUVIONS ENSEMBLE...

D'AILLEURS, DEPUIS QU'IL EST VOUÉ AU SILENCE, IL AIME M'ENTENDRE PARLER POUR LUI. JE LE SAIS...

ET PUIS DE TOUTE FAÇON, LÀ N'EST PEUT-ÊTRE PAS L'ESSENTIEL DANS UNE VIE COMME LA SIENNE...
QUE VEUX-TU DIRE?

LE PARTI, C'EST UNE CHOSE, LA VIE D'UN HOMME DÉVOUÉ AU PARTI EN EST UNE AUTRE...
ПРАВДА
ФАКЕЛ МИРА И ДРУЖБЫ
8

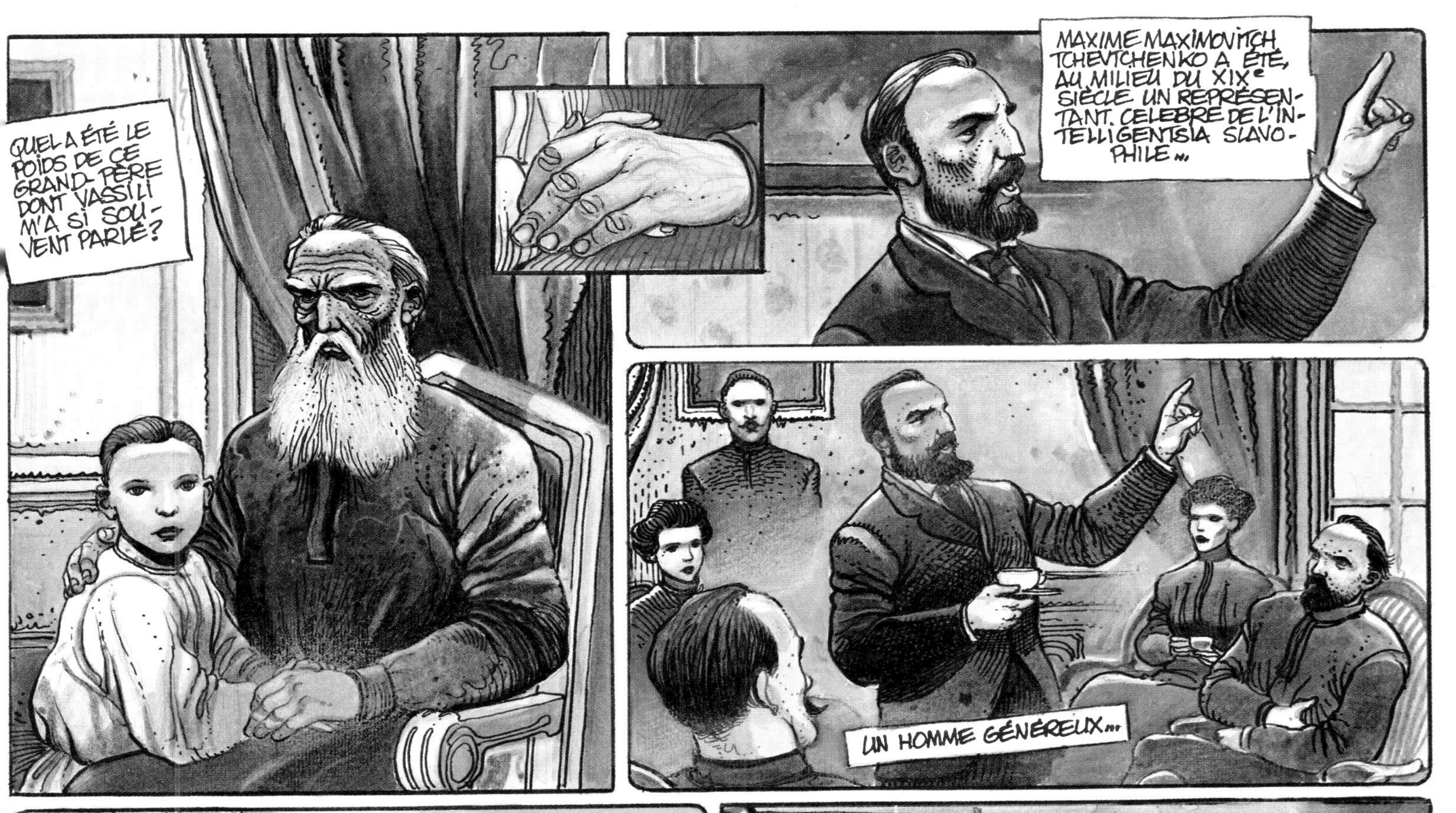
QUEL A ÉTÉ LE POIDS DE CE GRAND-PÈRE DONT VASSILI M'A SI SOUVENT PARLÉ ?
MAXIME MAXIMOVITCH TCHEVTCHENKO A ÉTÉ, AU MILIEU DU XIXe SIÈCLE UN REPRÉSENTANT CÉLÈBRE DE L'INTELLIGENTSIA SLAVOPHILE...
UN HOMME GÉNÉREUX...

... ET TRÈS RELIGIEUX, MARQUÉ PAR L'ANTI-OCCIDENTALISME ET LA CROYANCE AU GÉNIE MESSIANIQUE PROPRE À LA RUSSIE...

UN HOMME HORRIFIÉ PAR LA MISÈRE DU PEUPLE MAIS QUI, BIEN PLUS TARD A FINI RÉFUGIÉ DANS LA BELLE MAISON DE PROPRIÉTAIRE TERRIEN QUE LUI AVAIT APPORTÉ UN MARIAGE AVANTAGEUX...
9

CE QUI NE L'EMPÊCHAIT PAS DE SUBVENTIONNER LA SOCIAL-DÉMOCRATIE MONTANTE ET AUSSI DE RACONTER DES HISTOIRES À VASSILI ALEXANDROVITCH DONT LE PÈRE AVAIT DISPARU PRÉCOCEMENT...
РЕСТОРАН
С. ВОРОБЬЕВ
КОФЕ
МЯСО
ФРУКТ

DE CURIEUSES HISTOIRES EN VÉRITÉ, COMME CELLE DE NOS LOINTAINS ANCÊTRES QUI, À LA MORT DE NOS ROIS, AIMAIENT PARAÎT-IL EMPALER TOUTE LA COUR...
BOUFFONS, CAVALIERS ET DAMES, VÊTUS DE LEURS PLUS NOBLES PARURES PÉRISSAIENT AINSI, COMME LES PIONS D'UN GIGANTESQUE JEU D'ÉCHECS ...

CE JEU QUE MAXIME MAXIMOVITCH APPRENAIT À SON PETIT FILS DANS LE PAISIBLE JARDIN DE SA DATCHA DE CRIMÉE...

TOUT COMME IL LUI APPRENAIT À CHASSER LE LIÈVRE OU LE LOUP À TRAVERS LES VASTES PLAINES BOUEUSES...

LA CHASSE ET LES ÉCHECS, COMPRENDS-TU ? LES DEUX GRANDES PASSIONS DE VASSILI ALEXANDROVITCH, AVEC LA POLITIQUE ; À MOINS QUE...
À MOINS QUE ?

À MOINS QU'IL NE S'AGISSE EN RÉALITÉ DE LA MÊME CHOSE, C'EST À DIRE DU POUVOIR ...

UN POUVOIR OÙ IL FAUT PARFOIS VAINCRE POUR NE PAS ÊTRE VAINCU, TUER POUR NE PAS ÊTRE TUÉ...
11

ET VASSILI ALEXANDROVITCH M'A RACONTÉ D'AUTRES ÉPISODES DE SA VIE, DES ÉPISODES QUI L'ONT MEURTRI LUI AUSSI...

CAR C'EST UN HOMME QUI A AIMÉ, COMME TOUS LES HOMMES, ET SOUFFERT... BEAUCOUP SOUFFERT
QUE VEUX-TU DIRE ?

PEUT-ÊTRE AS-TU ENTENDU PARLER DE VÉRA NIKOLAEVNA TRETIAKOVA ?
JE... JE NE CROIS PAS...

NORMAL. ELLE NE FAIT PLUS PARTIE DE L'HISTOIRE OFFICIELLE. ÉLIMINÉE EN 37 POUR TROTSKO-ZINOVIEVISME AU MOMENT DE LA TCHISTKA, DU GRAND NETTOYAGE DES CADRES...
MAIS POUR CEUX QUI N'ONT PAS TOUT-À-FAIT PERDU LA MÉMOIRE, ELLE DEMEURE L'UNE DES PLUS SUBLIMES FIGURES DE LA RÉVOLUTION, COMPRENDS-TU ...
ET POUR VASSILI ALEXANDROVITCH, JE LE SAIS, UN SOUVENIR LANCINANT... ... LUI-MÊME ÉTAIT MENACÉ... LA DÉLATION S'INSINUAIT AU COEUR MÊME DE LA VIE...
ФАШИЗМ - ЭТО ГОЛОД,
ашизм - это ТЕРРОР!
PAR UN SOIR D'ÉTÉ TRÈS DOUX, SANS QU'ON SACHE QUI EN A DONNÉ L'ORDRE, CE SONT SES PROPRES SERVICES QUI ONT ARRÊTÉ VÉRA NIKOLAEVNA...
12

ET ENSUITE ?
ELLE EST MORTE ...

...ET ENSUITE ?
BAH ...

...JE N'AI CONNU LE GÉNERAL TCHENTCHENKO QUE BEAUCOUP PLUS TARD. APRÈS LA SECONDE GUERRE MONDIALE OÙ J'AVAIS SERVI SOUS SES ORDRES...

IL M'A FAIT L'HONNEUR, À MOI, EVGUENI GOLOZOV, DE ME PRENDRE COMME INTERPRÈTE, SECRÉTAIRE ET CONFIDENT...
C'ÉTAIT L'ÉPOQUE DE LA CRÉATION DU KOMINFORM ET STALINE RÉGNAIT EN MAÎTRE ABSOLU SUR LES PAYS FRÈRES...

ЛЮД
СПАСИБО
РОДНОМУ СТАЛИНУ

NOUS AVONS BEAUCOUP VOYAGÉ VERS LES LIEUX OÙ MÈNE CETTE LIGNE QUE NOUS SUIVONS DEPUIS MOSCOU...

À NOUVEAU IL Y A EU DES PURGES, CETTE FOIS-CI EN HONGRIE, EN BULGARIE, EN POLOGNE, EN TCHÉCOSLOVAQUIE...
КП 3Б

CELA PARAISSAIT NÉCESSAIRE À VASSILI ALEXANDROVITCH ET À MOI AUSSI, COMME À BEAUCOUP D'AUTRES IL ME SEMBLE...
ET MAINTENANT ?

JE NE SAIS PLUS CE QU'IL PENSE... DEPUIS CETTE PARALYSIE FACIALE, SA LANGUE EST MUETTE ET SON VISAGE FIGÉ...

MAIS IL A GARDÉ TOUTES SES FACULTÉS N'EST-CE-PAS ?
BIEN SÛR. ET BEAUCOUP DE SA PUISSANCE, MÊME S'IL N'EST PLUS QU'UN SIMPLE MEMBRE DU PRÉSIDIUM ET DE QUELQUES AUTRES INSTITUTIONS PRESTIGIEUSES...
14

ET TOI, QUE PENSES-TU ?
OH MOI, JE NE SUIS QU'UN HUMBLE POLYGLOTTE, TOUT COMME TOI... ALORS J'ÉCOUTE, ET PARFOIS JE RÊVE...

REGARDE, C'EST DÉJÀ L'AUBE...
NOUS APPROCHONS ?
OUI...

J'AURAIS VOULU TE POSER ENCORE UNE QUESTION ...
J'ÉCOUTE ...

POURQUOI M'AVOIR CHOISI, MOI, POUR CE VOYAGE ?
PARCE QUE JE NE SUIS PAS ÉTERNEL ET PARCE QUE TU ES UN BON ÉTUDIANT CONNAISSANT TOUTES LES LANGUES QUI VONT SE PARLER À NOTRE ARRIVÉE, JE SUPPOSE...

OU ALORS C'EST L'UN DE CES HASARDS BUREAUCRATIQUES DONT NOTRE RÉGIME SCIENTIFIQUEMENT ORGANISÉ EST FAMILIER, QUI SAIT ?
AH...

MAINTENANT REPOSONS NOUS UN PEU VEUX-TU... NOUS ALLONS AVOIR DES JOURNÉES CHARGÉES, JE LE CRAINS...
JE N'AI JAMAIS PARTICIPÉ À UNE CHASSE...

CE N'EST PAS À ÇA QUE JE PENSAIS CAMARADE ...
AH ...

15

NOUS ARRIVONS, J'AI L'IMPRES-SION...

LAISSE MOI T'AIDER POUR UNE FOIS VASSILI ALEXANDROVITCH... LE TRAIN VA ENTRER EN GARE...

KROLÓWKA

BIENVENUE À CETTE CHASSE ORGANISÉE PAR TOI ET POUR TOI, VASSILI ALEXANDROVITCH !
16

QUI EST-CE ?
TADEUSZ BOCZEK, L'UN DE NOS VIEUX AMIS POLONAIS ...

LUI AUSSI PARLE FRANÇAIS ?
PRESQUE TOUS LES INVITÉS DE CHASSE ONT LE FRANÇAIS COMME SEULE LANGUE DE COMMUNICATION ...

TU NE SERAS PAS SURCHARGÉ DE TRAVAIL, JEUNE CAMARADE... SAUF S'ILS SE FÂCHENT, PARCE QU'ALORS ILS PRÉTENDENT NE PLUS SE COMPRENDRE ET FONT APPEL À NOUS ...
BAGAZE DO SAMOCHODU !!!
AH BON ...

ALORS VIEUX CAMARADE ?!
HEUREUX DE TE REVOIR EVGUENI !

OÙ SONT LES AUTRES ?
DEUX D'ENTRE EUX DEVRAIENT ÊTRE LOGIQUEMENT DANS CE TRAIN QUI ARRIVE ...

EN TOUT CAS VOILÀ LA PREUVE QUE NOS TRAINS SOCIALISTES PEUVENT PARFOIS ÊTRE PONCTUELS ...

LES VOILÀ !

LE PREMIER C'EST ION NICOLESCU, RESPONSABLE DE LA POLICE POLITIQUE ET MEMBRE DU COMITÉ CENTRAL ROUMAIN...
L'AUTRE, DERRIÈRE, C'EST JANOS MOLNAR, VICE-MINISTRE DE L'INTÉRIEUR À BUDAPEST...

AUX VOITURES MES AMIS: LE CAMARADE VASSILI ALEXANDROVITCH NOUS Y ATTEND...

COMMENT VA DEPUIS LA DERNIÈRE FOIS QU'ON S'EST VUS... VOYONS... C'ÉTAIT BIEN À CETTE CHASSE DANS LES CARPATHES ?
EN EFFET...
!?! QUE SE PASSE-T-IL LÀ-BAS ?!

MAIS LÂCHEZ-MOI ENFIN !!
KIM JEST TEN MĘŻCZYZNA? CZEGO ON CHCE?
TO JEST FRANCUZ. TWIERDZI ŻE JEST TURYSTĄ... WYDAJE NAM SIĘ PODEJRZANY...

UN SOI-DISANT TOURISTE... IL SE PRÉTEND FRANÇAIS...
LE GÉNÉRAL NE VEUT NI TOURISTES NI ESPIONS ICI...
UN FRANÇAIS, VOUS DITES? ...JE POURRAIS PEUT-ÊTRE...

TU NE POURRAIS RIEN DU TOUT... TU ES INTERPRÈTE PRIVÉ, PAS GUIDE BÉNÉVOLE DE L'INTOURIST. ALLEZ, MONTE DANS LA JEEP... ON PART..!

STRZYŻÓW
ZWOLEN
KROLOWKA

...IL Y A LONGTEMPS QUE LE GÉNÉRAL CONNAIT LES AUTRES PARTICIPANTS À LA CHASSE?
BIEN SÛR... CE SONT TOUS DE TRÈS VIEUX AMIS...

ET CE TADEUSZ?
UN HOMME PLEIN D'HUMOUR, TU VERRAS. UN PEU ÉTRANGE PARFOIS DEPUIS QU'IL EST EN RETRAITE DANS CE DOMAINE... MAIS C'EST UN ESPRIT SUPÉRIEUR...
19

MAIS AVANT, QUE FAISAIT-IL? SON NOM ME RAPPELLE QUELQUE CHOSE ...
C'EST BIEN POSSIBLE... IL A JOUÉ UN GRAND RÔLE À VARSOVIE APRÈS LA GUERRE ...

ET... HEM... IL EST JUIF N'EST-CE PAS ?
EXACT... ET REGRETTABLE POUR LUI, HÉLAS. IL S'EST PASSÉ DE BIEN VILAINES CHOSES EN 1967 ET LA POLOGNE Y A PERDU L'UN DE SES GRANDS HOMMES D'ÉTAT...

...MAIS CETTE DEMEURE QUE TU VOIS LÀ Y A CERTAINEMENT GAGNÉ SON MEILLEUR RÉGISSEUR ...
AH BON...

POLOWANIE ZABRONIONE
WSTĘP WZBRONIONY

NE T'INQUIÈTE PAS, TU EN SAURAS BEAUCOUP PLUS, TRÈS VITE... NOTRE CAMARADE TADEUSZ EST DEVENU TRÈS BAVARD DEPUIS QU'IL N'A PLUS DE RESPONSABILITÉS POLITIQUES, N'EST-CE PAS ?
ET TOI EVGUENI, TU ES TOUJOURS AUSSI MAUVAISE LANGUE À CE QUE JE VOIS...

ALORS PLUTÔT QUE DE MÉDIRE SUR MON COMPTE, TU VAS ALLER CHERCHER VASIL QUI EST DÉJÀ SUR LES LIEUX ET QUI DOIT ATTENDRE QUELQUE PART DANS LES SALONS ...
20

...ÇA PERMETTRA À TON JEUNE PROTÉGÉ DE SE FAMILIARISER AVEC L'ENDROIT ET PENDANT CE TEMPS LÀ J'INSTALLERAI LES NOUVEAUX ARRIVANTS DANS LEURS CHAMBRES ...
COMME VOUS L'ENTENDEZ MONSIEUR LE RÉGISSEUR ...

ALLEZ, SUIS-MOI !...
C'EST SUPERBE ICI...

EH OUI... L'ARISTOCRATIE DÉCADENTE ET EXPLOITEUSE N'AVAIT PAS FORCÉMENT MAUVAIS GOÛT DANS CE PAYS...

...ELLE S'INTÉRESSAIT AUX ARTS COMME TU VOIS...

... ET MÊME AUX SCIENCES... L'ACCÈS À L'OBSERVATOIRE DOIT ÊTRE PAR LÀ...

VOYONS, JE CROIS QUE JE COMMENCE À AVOIR UNE PETITE IDÉE DE L'ENDROIT OÙ PEUT SE TROUVER NOTRE BRAVE VASIL STROYANOV...

...ET JE TE PARIE TOUT CE QUE TU VEUX, CAMARADE QU'IL EST DÉJÀ ACCOUDÉ AU BAR AMÉRICAIN ...
21

QU'EST-CE QUE JE DISAIS...
AH, ENFIN QUELQU'UN ! JE COMMENÇAIS À M'ENNUYER ...

EH BIEN TU N'EN AURAS PLUS L'OCCASION AU COURS DES TROIS JOURS QUE NOUS ALLONS PASSER ENSEMBLE ...
SACRÉ GOLOZOV. PAS CHANGÉ HEIN ?

TOI NON PLUS À CE QUE JE VOIS

ET ALORS, TADEUSZ, OÙ SONT LES AUTRES ?
ILS ARRIVENT VASIL, ILS ARRIVENT ...

... LEURS BAGAGES S'ÉTAIENT UN PEU ÉGARÉS ... TU SAIS BIEN QUE LE SERVICE N'EST GUÈRE PLUS EFFICACE ICI QU'AILLEURS ...

PEUH ... CES TYPES NE NOUS AIMENT PAS DAVANTAGE QUE LEURS ANCIENS MAÎTRES ...
POURQUOI SERAIT-CE LE CAS ? JE LES SUSPECTE MÊME DE NOUS TROUVER NETTEMENT MOINS RAFFINÉS

AH, VASSILI ALEXANDROVITCH !!!

TOUJOURS EN FORME, HEIN ?
22

EH BIEN, TADEUSZ, QUEL EST LE PRO-GRAMME?

JE VOUS PROPOSE, EN ATTENDANT PAVEL QUI VIENT PAR LA ROUTE, DE M'ACCOMPAGNER AUX COMMUNS ...
AUX COMMUNS? POURQUOI FAIRE?

QUELQUE CHOSE À VOUS MONTRER QUI DEVRAIT VOUS AMUSER... PAR ICI...

POUR OCCUPER MES LOISIRS UN PEU FORCÉS, J'AI RE-MIS EN ÉTAT LA FAUCONNERIE DU PARASITE SO-CIAL, MAIS FORT GRAND SEIGNEUR QUI OCCUPAIT JADIS CES LIEUX...
STRAJK

JE N'AIME PAS LES ARMES, VOUS LE SAVEZ ...

... ET RIEN DE TEL, N'EST-CE PAS, QUE FAIRE LA GUERRE PAR PERSONNE INTERPOSÉE ...
EN EFFET ...

L'AFFAITAGE EST TERMINÉ, ET MES OISEAUX SONT TRÈS AU POINT, VOUS ALLEZ VOIR...
23

D'ABORD JE VOUS PRÉSENTE KARL, MON MEILLEUR FAUCON DE HAUTE VOLÉE...

UNE BÊTE UN PEU ORGUEILLEUSE MAIS TRÈS INTELLIGENTE ...
ET POURQUOI KARL ?

UNE IDÉE COMME ÇA, MON BON NICOLESCU. SOUVENIR DE MES LECTURES THÉORIQUES DE JEUNESSE, QUAND "DAS KAPITAL" ÉTAIT MA BIBLE... VOUS ALLEZ MIEUX COMPRENDRE EN LE VOYANT CHASSER LA CORNEILLE POUR LE PLAISIR...
C'EST MALIN DE DONNER LE PRÉNOM DE NOTRE PÈRE FONDATEUR À UN OISEAU QUI...

RUSZAJ !!!

UN GRAND PRÉDATEUR AVEC LES OISEAUX QU'IL N'AIME PAS, MON BRAVE KARL...

CE QUI L'INTÉRESSE C'EST LA BEAUTÉ DU GESTE EN QUELQUE SORTE... ET IL SE DÉGOUTE VITE DE CES CORPS SANS FORCE ...

TRÈS DIFFÉRENT DE CET ÉPERVIER, VOYEZ-VOUS...

UN ANIMAL DE BASSE VOLERIE, CRUEL ET TENACE...

IL PRÉFÈRE LES BOIS SOMBRES AUX GRANDES PLAINES ET LES PERDRIX DODUES AUX FREUX TROP MAIGRES ...

SUIVEZ-LE BIEN !

IL VA EMPIÉTER SA VICTIME ET S'ACCROCHER AU SOL POUR LA DÉPECER ...
25

FABULEUX !
OUI, QUELLE HABILETÉ ...

JOLI SPECTACLE !... UNE BONNE IDÉE QUE TU AS EUE LÀ, TADEUSZ ...

ET COMMENT S'APPELLE CE SOURNOIS SANGUINAIRE ?
JOSEPH... DIT AUSSI PETIT PÈRE DES PEUPLES, HÉ, HÉ ...

TRÈS DRÔLE DÉCIDEMENT... TU FAIS DANS L'ALLÉGORIE IDÉALISTE EN VIEILLISSANT, TADEUSZ !
ALLONS, ÉVGUÉNI, UN PEU D'HUMOUR QUE DIABLE !
BILAL
26

TOUT CELA EST BIEN INNOCENT, ET SI LE SPECTACLE EST JOLI IL N'EST PAS D'UN AVANT-GARDISME INTOLÉRABLE, RECONNAIS-LE...
JE NE SUIS QUAND MÊME PAS SÛR QUE CES NOMS SERAIENT DU GOÛT DE TOUS NOS AMIS...

HÉ, EN FAIT D'AMIS REGARDEZ PLUTÔT !

PON

ALORS CAMARADE, TU N'AS PAS EU PEUR DE LA NEIGE AVEC TON ANTIQUITÉ ?

PAVEL HAVELKA, EN PROVENANCE DIRECTE DE PRAGUE, JE SUPPOSE...

UNE CARRIÈRE AGITÉE MAIS BRILLANTE, CE PAVEL...
C'EST L'UN DE CEUX QUI ONT REPRIS EN MAIN LE PARTI TCHÈQUE DEPUIS LA NORMALISATION DE 1969...
AH BON...

C'EST PRÊT MONSIEUR...
PAR ICI MES AMIS ! JE NOUS AI FAIT PRÉPARER UN DÉJEUNER FRUGAL MAIS CONSISTANT... AVEC CE FROID NOUS EN AURONS BIEN BESOIN...

HÉ VOUS AUTRES GROUILLEZ POUR LA VODKA ET LE VIN !!! IL MANQUE L'ESSENTIEL !
27

OUI, VASSILI ALEXANDROVITCH... C'EST BIEN LA VIEILLE TATRA QUE TU AS EMPRUNTÉE AVEC MOI À MAINTES REPRISES ...

KNIHOVNA
BIEN SÛR CE N'ÉTAIT PAS CELLE QUE TU AVAIS FAIT METTRE À MA DISPOSITION QUAND J'ÉTAIS ENCORE SOCIAL-DÉMOCRATE, AVANT LA PRISE DE POUVOIR DU PARTI, EN 48...

ALLEZ DIS-LE TEL QUEL, PAVEL ! QUAND TU JOUAIS LES SOUS-MARINS DU KREMLIN AVANT LE COUP DE PRAGUE QUI ALLAIT FAIRE DE TOI UN MINISTRE BIEN DANS LA LIGNE...
SI ÇA T'AMUSE TADEUSZ... SI ÇA T'AMUSE...

...MAIS JE TE RAPPELLERAI QUE ÇA NE M'A PAS RAPPORTÉ QUE DES HONNEURS DE SUIVRE LA LIGNE ...

ČESKOSLO
PARCE QU'EN REVANCHE, C'EST BIEN DANS UN MODÈLE DE CE GENRE LÀ QUE J'AI ÉTÉ ARRÊTÉ EN 51, AU MOMENT DU PROCÈS SLANSKY, COMME AGENT DE L'IMPÉRIALISME ET ÉLÉMENT NATIONALISTE BOURGEOIS...

ET QUAND TU AS ÉTÉ RÉHABILITÉ EN 1963 ?
AH, LÀ JANOS, C'EST JUSTEMENT LE MOMENT OÙ J'AI TOUCHÉ CELLE-CI ...
VODKA, S'IL VOUS PLAÎT !
28

UN BON SOUVENIR... MAIS C'EST PEUT-ÊTRE TOUTE LA PÉRIODE QUI CONSTITUE UN BON SOUVENIR, N'EST-CE PAS VASSILI ALEXANDROVITCH?

TU TE SOUVIENS LORSQUE TU M'ACCOMPAGNAIS AU MINISTÈRE DE LA CULTURE POUR OEUVRER AU RAPPROCHEMENT DES ÉLITES INTELLECTUELLES ET DU PARTI?
À PART CE CRÉTIN DE VIZEK QUI PASSAIT SON TEMPS À DEMANDER QUI NOYAUTAIT QUOI, ON AVANÇAIT GENTIMENT...

MAIS TU TE SOUVIENS AUSSI, J'EN SUIS CERTAIN, DE NOTRE RENCONTRE PRÈS DE LA FRONTIÈRE, LE 15 AOÛT 1968...

... C'EST SUR LES COUSSINS DE MON AUTO QUE TU M'AS PRÉVENU DES RISQUES D'INVASION PAR LES TROUPES DU PACTE...

JE N'Y CROYAIS PAS PLUS QUE DUBCEK ET NOUS AVONS LONGUEMENT CONDUIT SANS UN MOT SUR LES PETITES ROUTES DE MONTAGNE AVOISINANTES...
29

MAIS LE 21 J'AI BIEN ÉTÉ OBLIGÉ D'Y CROIRE. LORSQUE J'AI RENCONTRÉ LES CHARS RUSSES DANS LES RUES DE MA VILLE NATALE...

BČEK SVOBODA
USA-VIETNAM
USSR-ČSSR
ЭХ, ИВАН ! ВЕРНИСЬ ДОМОЙ !!!

HOJ KAMARADE ! KOHO JSTE VY PŘIŠLI ZABÍT? SVOBODU ?

ET COMME LE DISAIENT LES JEUNES PRAGOIS À VOS SOLDATS, C'EST NI PLUS NI MOINS LA LIBERTÉ QUE VOUS ÊTIEZ VENUS TUER... D'AILLEURS TU ÉTAIS LE PREMIER À LE PENSER...

BAH, J'AI TOUJOURS DIT QUE VOTRE SOCIALISME À VISAGE HUMAIN C'ÉTAIT UNE ÉNORME CONNERIE TACTIQUE...
UNE NAÏVETÉ PRÉMATURÉE EN TOUT CAS...

MAIS COMME ANCIENNE VICTIME DE L'ÉPOQUE PRÉCÉDENTE TU AS QUAND MÊME BIEN TIRÉ TON ÉPINGLE DU JEU, NON ?
OUI, EN UN SENS...

... PARCE QUE J'ESPÈRE QUAND MÊME QUE MA VIEILLE TATRA QUI A VU TANT DE RETOURNEMENTS HISTORIQUES SERVIRA À AUTRE CHOSE QU'À FAVORISER LE DÉPART À L'OUEST DE CAMARADES DÉFINITIVEMENT BRÛLÉS, N'EST-CE PAS VASSILI ALEXANDROVITCH ?

HEM ...

OUI ...
BON... ON Y VA MAINTENANT ?
D'ACCORD CHERS AMIS ! LES CHIENS SONT LÀ ...

VOUS AVEZ RAISON, NE PERDONS PAS DE TEMPS À RÊVASSER AU PASSÉ... JE VAIS ME CHANGER ...
QUE TOUT LE MONDE SE PRÉPARE ! DÉPART DANS UN QUART D'HEURE ...

TIENS, PRENDS ÇA ...
MOI, ME SERVIR D'UN ENGIN PAREIL ?!!
IL VA BIEN FALLOIR QUE TU APPRENNES ...
31

CHASSE INDIVIDUELLE POUR COMMENCER, CELLE QUE PRÉFÈRE VASSILI ALEXANDROVITCH... FAIS BIEN ATTENTION À TOUJOURS MARCHER CONTRE LE VENT...
CONTRE LE VENT ?... MAIS JE NE SAIS PAS D'OÙ IL VIENT LE VENT, MOI, ET...

SILENCE, JEUNE CAMARADE... VASSILI ALEXANDROVITCH NE VEUT PAS ENTENDRE UNE SEULE PAROLE INUTILE LORSQU'IL CHASSE...

RATÉ, CAMARADE !
32

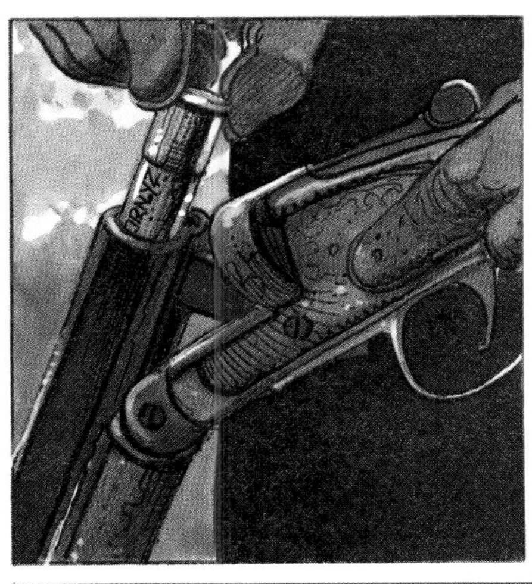

MERDE ! RATÉ !
TU VOIS, CAMARADE FRANÇAIS... IL N'Y A PAS QUE DES CHAMPIONS ...
ILS SONT QUAND MÊME TOUS PLUS FORTS QUE MOI, JE M'EN RENDS COMPTE ...

DE TOUTE FAÇON, LE SOIR TOMBE... IL VA ÊTRE TEMPS DE RENTRER...

34

SPLENDIDE TABLEAU... IL N'Y A PAS À DIRE, TA CHASSE EST BIEN TENUE, TADEUSZ ...

ÇA S'ARROSE ! UN PEU DE WHISKY ?
... SIMPLES AMUSE-GUEULE QUE CES PETITES BESTIOLES À POIL ET À PLUME, VICTIMES DE VOTRE SPORTIVE AFFECTION, TU LE SAIS BIEN EVGUENI...

TOI, VASIL, TU FERAIS BIEN DE TE MÉFIER DE L'EFFET DES ALCOOLS CAPITALISTES SUR TA LANGUE ...
BAH ...
VOUS ENTENDEZ ? UN BRUIT D'HÉLICOPTÈRE ...

C'EST EUX ! PARFAITEMENT À L'HEURE ...

LES CHOSES SÉRIEUSES NE COMMENCERONT QU'APRÈS L'ARRIVÉE DE NOS DERNIERS INVITÉS ...
C'EST LE CAS DE LE DIRE, AH AH AH...

35

БД-07
D'OÙ ARRIVENT-ILS ?
D'AKADEMGORODOK, OÙ IL Y AVAIT UNE CONFÉRENCE AU SOMMET SUR LES ÉCHANGES INDUSTRIELS ENTRE PAYS FRÈRES !!!

BRRR... LA SIBÉRIE JE N'AIMERAI JAMAIS, PAYS FRÈRES OU PAS...
ENSUITE ILS ONT PRIS UN AVION JUSQU'À L'AÉRODROME MILITAIRE DE TCHERNIGOV PUIS CET HÉLICOPTÈRE JUSQU'ICI ...

TU VOIS, CELUI-CI, AVEC SON AIR DE MANAGER EFFICACE COMME IL Y EN A TANT DE TON CÔTÉ DU GLOBE À CE QU'IL PARAÎT, C'EST GÜNTER SCHÜTZ, NÉ À BERLIN EN MÊME TEMPS QUE LE NAZISME ...
BRILLANTES ÉTUDES DE PHILOSOPHIE PUIS D'ÉCONOMIE... ACTIVITÉS THÉORIQUES IMPORTANTES, CONCEPTIONS NOVATRICES EN MATIÈRE DE PRODUCTION, IL EST VITE REMARQUÉ PAR VASSILI ALEXANDROVITCH QUI EN FAIT UN EXPERT AUPRÈS DU POLITBURO EST-ALLEMAND AVANT QU'IL NE DIRIGE L'ÉCOLE SUPÉRIEURE DU PARTI EN R.D.A...

ET MAINTENANT ?
36

MAINTENANT, GÜNTHER SCHÜTZ EST L'UNE DES TÊTES PENSANTES DU COMECON... AVANT LUI ON NE SAVAIT PAS POURQUOI NOTRE MARCHÉ COMMUN À NOUS FONCTIONNAIT MAL... À PRÉSENT ON SAIT...

ET LUI? IL NE DONNE PAS L'ACCOLADE À VASSILI ALEXANDROVITCH?
TU DEVIENS OBSERVATEUR CAMARADE FRANÇAIS... EN EFFET, SERGUEÏ CHAVANIDZÉ N'A PAS À EMBRASSER CELUI DONT IL EST LE SUCCESSEUR DÉSIGNÉ...

ET, ÇA FONCTIONNE MIEUX À TON AVIS?
NON, MAIS LA CONNAISSANCE EST SANS PRIX POUR DES RÉGIMES SCIENTIFIQUES COMME LE NÔTRE...
ALLONS DONC...

D'AILLEURS, PLUTÔT QUE DE JACASSER TU VAS L'ACCOMPAGNER... IL NE PARLE AUCUNE LANGUE ÉTRANGÈRE, ET DE SURCROÎT NE M'AIME GUÈRE, ALORS...

...ALORS IL VA FALLOIR QUE TU TRAVAILLES POUR LE PLUS GRAND BIEN DU CAMP SOCIALISTE SUR LES DESTINÉES DUQUEL SERGUEÏ EST CHARGÉ DE VEILLER...

ВОТ ТВОЙ ПЕРЕВОДЧИК, СЕРГЕЙ... ЭТИЙ ФРАНЦУЗ ЕСТЬ СТУДЕНТОМ ПОСЛЕДНЕГО ГОДА МОСКОВСКОГО УНИВЕРСИТЕТА...
ОЧЕНЬ ХОРОШО...

HABILE, ÇA, D'AVOIR CHOISI UN FRANÇAIS... PLUS NEUTRE...
OUI, C'EST UNE IDÉE DE VASSILI ALEXANDROVITCH...

НУ, МОЛНАР, КАК ДЕЛА В БУДАПЕШТЕ?
EUH... HOGY VAN BUDAPESTEN?

И В ПРАГЕ, СПОКОЙНО?
HEM... JESTLI V PRAZE JE KLID?

NE RESTONS PAS LÀ! ALLONS PLUTÔT AU JARDIN D'HIVER PRENDRE UN VERRE!...
BONNE IDÉE, ÇA...
37

JE VOUS PROPOSE MÊME D'INAUGURER LA PISCINE CHAUFFÉE QUE J'AI ÉTÉ CHARGÉ D'INSTALLER EN SOUTERRAIN ...
POURQUOI PAS... ÇA NOUS DÉLASSERA DES FATIGUES DE LA CHASSE ...

ET DE CELLES DU VOYAGE, GÜNTHER, QU'EN DIS-TU...

TRÈS BELLE INSTALLATION ...
PAS MAL, OUI... TOUT LE SYSTÈME EST IMPORTÉ DES ÉTATS-UNIS...

JE CROYAIS QUE LA DETTE FINANCIÈRE EXTÉRIEURE DE VOTRE PAYS INTERDISAIT CE GENRE DE FANTAISIE ...
ÇA DÉPEND POUR QUI ET POUR QUOI, TU LE SAIS BIEN, TOI QUI ES EXPERT...

TU DEVRAIS TE SOUVENIR DE CE QUE J'AI ÉCRIT, TADEUSZ. JE N'APPROUVE AUCUNE DÉPENSE SOMPTUAIRE ...
TU SAIS, MOI JE N'AI FAIT QU'APPLIQUER LES DIRECTIVES DE L'ANCIENNE DIRECTION QUI D'AILLEURS N'EN PROFITERA PAS, PUISQUE ...

EH, OUI, ÇA VA, ÇA VIENT LES PRIVILÈGES ... ET EN DÉFINITIVE C'EST À DES INDÉRACINABLES COMME TOI QU'ELLES PROFITENT LES DÉPENSES SOMPTUAIRES, HEIN GUNTHER ?....
PFFF...
38

TU NE TE BAIGNES PAS ?
NON !

ÇA LUI AURAIT POURTANT PAS FAIT DE MAL...

CURIEUX, CETTE PISCINE, VASSILI ALEXANDROVITCH, N'EST-CE PAS ?

ET PEUT-ÊTRE TE RAPPELLE-T-ELLE LES MÊMES SOUVENIRS QU'À MOI ? ...BUDAPEST, JUILLET 1956, ALORS QUE L'INSURRECTION APPROCHAIT ...

C'EST AU MILIEU DES MOSAÏQUES PÂLIES ET DES CUIVRES ORNEMENTÉS QUE JE T'AI VU POUR LA PREMIÈRE FOIS...
39

TU ÉTAIS DANS LE BASSIN LE PLUS CHAUD DE CES THERMES QUE NOUS AUTRES HONGROIS AFFECTIONNONS TOUJOURS ...

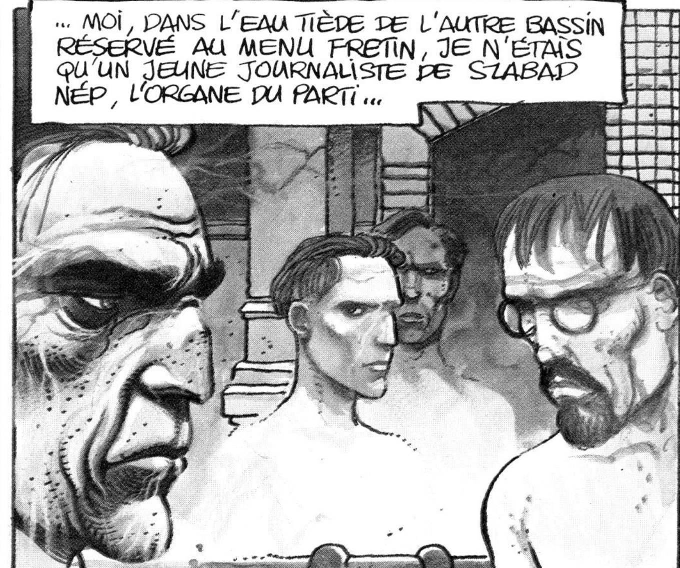
... MOI, DANS L'EAU TIÈDE DE L'AUTRE BASSIN RÉSERVÉ AU MENU FRETIN, JE N'ÉTAIS QU'UN JEUNE JOURNALISTE DE SZABAD NÉP, L'ORGANE DU PARTI ...

NOUS N'ENTENDIONS PAS TES PAROLES ET SEUL LE BRUISSEMENT DE L'EAU JAILLIE DES FONTAINES ANIMALES PARVENAIT JUSQU'À NOUS ...
... MAIS NOUS SAVIONS TOUS QUE TU ÉTAIS VENU DÉMISSION-NER LES STALINIENS ATTARDÉS QUI N'AVAIENT PAS COMPRIS QU'IL FALLAIT CHANGER DE STYLE APRÈS LE RAPPORT KROUCHTCHEV ...
ET SOUS LE FLOT RUISSELANT QUI MASQUAIT SON VISAGE, JE SAVAIS EN PARTICULIER QUE TIBOR ILLYES PLEURAIT EN EN-TENDANT TA SENTENCE ...
40

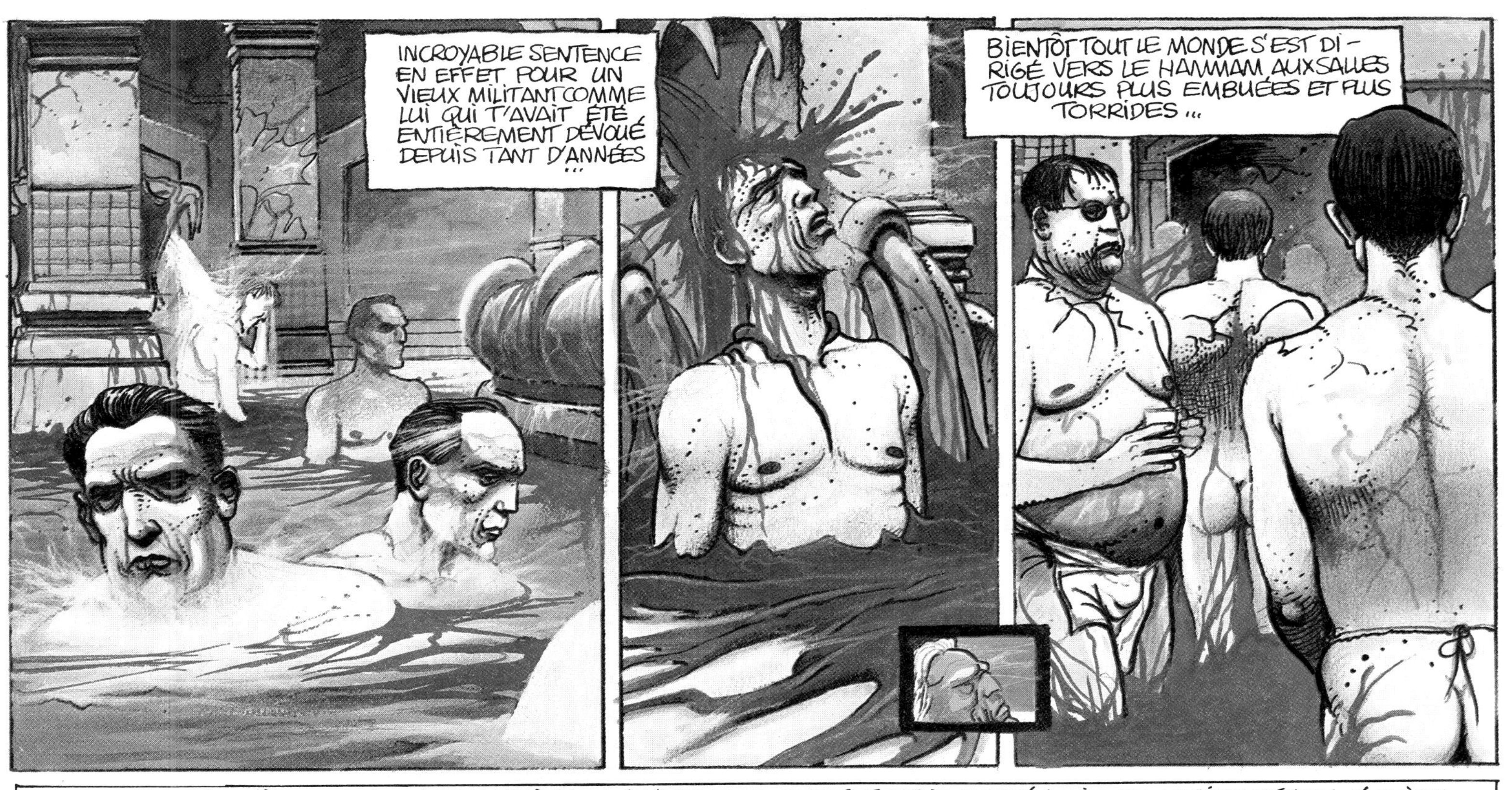
INCROYABLE SENTENCE EN EFFET POUR UN VIEUX MILITANT COMME LUI QUI T'AVAIT ÉTÉ ENTIÈREMENT DÉVOUÉ DEPUIS TANT D'ANNÉES...
BIENTÔT TOUT LE MONDE S'EST DIRIGÉ VERS LE HAMMAM AUX SALLES TOUJOURS PLUS EMBUÉES ET PLUS TORRIDES...
LE SILENCE RÉGNAIT ET CHACUN SONGEAIT AUX ÉVÉNEMENTS QUE TU TENTAIS DE PRÉVENIR EN MODIFIANT UNE ÉQUIPE DIRIGEANTE HAÏE PAR LE PAYS...

CE N'EST QUE LORSQUE LES MEMBRES DU GROUPE SE SONT RETROUVÉS DEVANT LES CABINES INDIVIDUELLES POUR SE SOUMETTRE AUX MAINS DES MASSEURS QUE J'AI PRIS CONSCIENCE D'UNE ABSENCE...

CELLE DE TIBOR, TON VASSAL DÉCHU... JE SUIS RETOURNÉ VERS LES BAINS DÉSERTS, DANS L'ODEUR D'EMBROCATION VIRILE ET PEUT-ÊTRE AUSSI DE MOISISSURE SOURNOISE...
ET C'EST MOI QUI AI DÉCOUVERT LE CADAVRE FLOTTANT DANS L'EAU À PEINE FRISSONNANTE... SUICIDE OU CRISE CARDIAQUE ? NUL NE L'A JAMAIS SU...
41

MAIS PEUT-ÊTRE EST-CE PARCE QUE C'EST MOI QUI T'AI PRÉVENU LE PREMIER DU DRAME QUE TU M'AS PRIS EN AMITIÉ ?
OUI, JE ME SUIS SOUVENT DEMANDÉ POURQUOI, LORSQUE TU ES REVENU DANS NOTRE CAPITALE DÉVASTÉE PAR LES COMBATS DE RUE, TU M'AVAIS CHOISI PARMI TANT D'AUTRES...

BIEN SÛR, JE N'AVAIS PAS PRIS PART À LA REBELLION ET MON ABSTENTION A PU PASSER POUR DE LA FINE STRATÉGIE...
HO
MAIS LORSQUE J'AI PARTICIPÉ POUR TOI À LA RÉORGANISATION DE LA POLICE POLITIQUE APRÈS L'ÉCRASEMENT DE LA RÉVOLTE...
СССР ОПЛОТ МИРА
ET PUIS LORSQUE J'AI SÉJOURNÉ À TES CÔTÉS À MOSCOU POUR PARFAIRE MON APPRENTISSAGE POLITIQUE...
J'AI SOUVENT SONGÉ QUE SEUL LE HASARD QUI M'AVAIT PERMIS DE DÉCOUVRIR LA MORT D'UN DE TES AMIS AVAIT FAIT DE MOI SON REMPLAÇANT...
C'EST L'HEURE DE DÎNER MESSIEURS !
TIBOR ILLYES 1891 - 1956
42

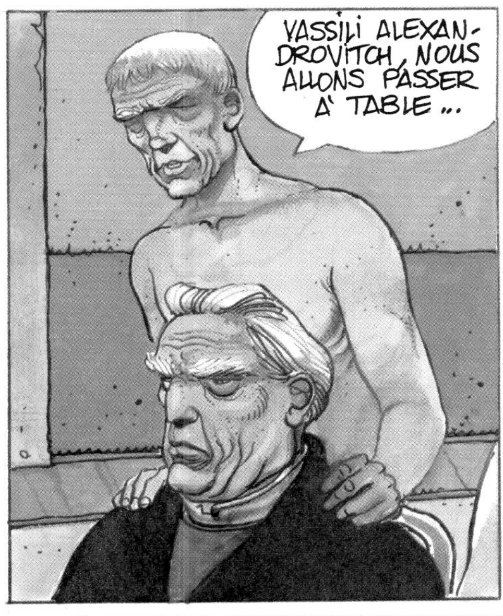
VASSILI ALEXANDROVITCH, NOUS ALLONS PASSER À TABLE...

DE QUOI LUI PARLAIS-TU DONC, POUR QU'IL AIT L'AIR SI GRAVE ET SI SONGEUR, JANOS ?

JE PARLAIS DE BUDAPEST, 1956...
UNE BELLE SOTTISE VOTRE CONTRE RÉVOLUTION À LA CON...

TIENS, JE CROYAIS QUE C'ÉTAIENT LES TCHÈQUES QUI AVAIENT ÉTÉ DES NAÏFS PRÉMATURÉS ?..
CE QUI S'ÉTAIT PASSÉ PRÈS DE DIX ANS AVANT CHEZ VOS VOISINS AURAIT DÛ VOUS OUVRIR LES YEUX, NON?

UN INSTANT, CAMARADE NICOLESCU, EN 68 C'EST NOTRE PARTI LUI-MÊME QUI ÉTAIT EN LUTTE POUR RÉNOVER LE SOCIALISME ET NON PAS DES ÉLÉMENTS...

DES ÉLÉMENTS? DES ÉLÉMENTS QUOI, HEIN PAVEL, JE TE LE DEMANDE? ... D'AILLEURS JE NE SAIS PAS POURQUOI JE ME FATIGUE...

INTERPRÊTE!
OUI, CAMARADE
ASSEYEZ-VOUS JE VOUS EN PRIE!

VOUS ALLEZ EXPLIQUER DANS LEURS LANGUES BARBARES RESPECTIVES CE QUE JE PENSE À CES DEUX CAMARADES MAL INFORMÉS DES RÉALITÉS HISTORIQUES...
ÉCOUTE, JANOS, JE VEUX BIEN TRADUIRE, MAIS...
43

MAIS RIEN DU TOUT, CAR SERGUEÏ CHAVANIDZÉ N'AIME PAS CE GENRE DE DISCUSSION, JE LE SAIS...
JUSTEMENT, IL SOUHAITE QUE JE LUI RÉSUME VOTRE INTERESSANTE CONVERSATION...

INUTILE, IL VA ENCORE NOUS PARLER DE NOTRE NATIONALISME PETIT-BOURGEOIS...

QU'EST-CE QUE JE FAIS ? JE... JE TRADUIS OU...

TU TE DÉBROUILLES POUR EUPHÉMISER, MON VIEUX...
ET TU T'ARRANGES POUR NE PAS NOUS GÂCHER CET EXCELLENT CAVIAR RAPPORTÉ DE LA GRANDE PATRIE DU SOCIALISME RÉEL PAR NOTRE NOUVEAU BIENFAITEUR À TOUS, SERGUEÏ CHAVANIDZÉ...

PORTONS UN TOAST AU PAYS DE LA RÉVOLUTION...

ET À SES DEUX ÉMINENTS REPRÉSENTANTS, ALEXANDROVITCH TCHEVTCHENKO ET SERGUEÏ CHAVANIDZÉ !

... ET AUSSI À SES ESTURGEONS MARXISTES EN DIABLE...
AH, AH AH ...

AVEC LE VIN BLANC ANNONCÉ SUR LE MENU, TOUT CECI SERAIT ENCORE MEILLEUR, N'EST-CE PAS SERVEUR ?

PROSZĘ PRZENIEŚĆ BIAŁE WINO?
DOBRZE PROSZĘ PANA ...

TOUJOURS AUSSI CAFOUILLEUX LES POLONAIS...
ALLONS, GUNTHER, CALME-TOI...

НЕ ХОТИТЕ ЛИ ВЫ ИГРАТЬ ШАШКИ, ВАС-СИЛИ АЛЕКСАНДРО-ВИЧ ?
BRÔÔÔ...

VOILÀ, COMME D'HABITUDE SERGUEÏ VEUT SE MESURER AUX ÉCHECS AVEC VASSILI ALEXANDROVITCH ...

ET COMME D'HABITUDE ...

IL VA PERDRE ...

NOS CHAMBRES SONT JUSTE APRÈS CELLE DE VASSILI ALEXANDRO-VITCH...

СПОКОЙНОЙ НОЧИ ...
... ET IL EST TRÈS MAUVAIS PERDANT ...

ALLEZ, MAINTENANT TOUT LE MON-DE VA SE COUCHER ..... LA JOUR-NÉE DE DE-MAIN SERA BIEN REM-PLIE...

À QUOI PEUT-IL BIEN PENSER ?
BAH....

AU PASSÉ SANS DOUTE ...

... AINSI QU'IL LUI ARRIVE SOUVENT...

ВОЙНА
... MAIS IL Y A TANT DE PASSÉS QUI S'ENTREMÊLENT...

...TANT DE PASSÉS QUI SE CONTREDISENT PARFOIS...

ET PUIS VASSILI ALEXANDROVITCH EST TOUJOURS UN HOMME DU PRÉSENT...

... PEUT-ETRE MÊME SE PROJETTE-T-IL DANS L'AVENIR COMME CHACUN D'ENTRE NOUS ?

- ALLEZ, BONNE NUIT PETIT...
- BONNE NUIT, EVGUENI...
46

TOUT LE MONDE VA BIEN CE MATIN ?
PARFAITEMENT BIEN...

TANT MIEUX... VASSILI ALEXANDROVITCH EST DÉJÀ PRÊT ET LES VOITURES QUI DOIVENT NOUS CONDUIRE EN FORÊT ATTENDENT...

LE TEMPS EST TOUJOURS COUVERT ...
PAS PLUS MAL POUR CE QUI NOUS PRÉOCCUPE...

QU'EST-CE QUI NOUS PRÉOCCUPE ?
RIEN CAMARADE... RIEN... LA CHASSE À L'APPROCHE D'AUJOURD'HUI TOUT AU PLUS ...

AU PROGRAMME SANGLIER LE MATIN ET CERF L'APRÈS-MIDI ...

IL EST TOUJOURS FÂCHÉ D'AVOIR PERDU SA PARTIE D'ÉCHECS HIER SOIR ?
NON, JE NE PENSE PAS...

C'EST CE QUE VOUS APPELLEZ UN VIANDARD, JE CROIS, COMME L'ÉTAIT UN DE VOS PRÉSIDENTS À QUI ÇA N'A PAS PORTÉ CHANCE ...
AH MAIS PARDON !

CE N'ÉTAIT PAS MON PRÉSIDENT, COMME NE L'EST PAS DAVANTAGE LE SOCIAL-DÉMOCRATE QUI A PRIS SA PLACE !
47

BONNE RÉPONSE DE JEUNE COMMUNISTE QUI A BIEN APPRIS SON CATÉCHISME, ÇA ...

ET TOI MÊME, D'AILLEURS TU ME SEMBLES PRENDRE GOÛT À CES JEUX BRUTAUX ...
MOI?

SIMPLE IMPRESSION... C'EST DANS LA NATURE HUMAINE, COMME DISENT LES PHILOSOPHES BOURGEOIS
VOUS VOUS FICHEZ DE MOI TADEUSZ ...

MAIS NON... C'EST SIMPLEMENT QUE J'AI VU TROP DE CARNASSIERS DANS MA VIE... Y COMPRIS MES BRAVES KARL ET JOSEPH ...

TOUT DE MÊME, JE...
LAISSONS TOMBER, VEUX-TU? ET DISONS QUE SERGUEÏ CHAVANIDZÉ CHASSE POUR TUER EN INDIVIDUEL ... C'EST TOUT...

ТАК ... ХОРОШО..

48

MÉCHANTES BÊTES, CROIS MOI, PETIT FRANÇAIS... ET EN PLUS NERVEUSES, CE MATIN ... JE CROIS QUE JE VAIS RESTER ICI...
MOI, JE VAIS ENCORE AVANCER UN PEU ...

NA POMOC.........
VOUS ENTENDEZ? QU'EST-CE QUE C'EST ?

ON DIRAIT LA VOIX DE TADEUSZ ...
OUI IL SEMBLE EN DIFFICULTÉ...
J'ÉTAIS AVEC LUI IL N'Y A PAS LONGTEMPS...

SUIVEZ-MOI !
JE NE COMPRENDS PAS... IL NE DEVAIT RIEN SE PASSER AUJOURD'HUI....
BIZARRE, OUI...
49

ATTENDEZ... JE NE SUIS PLUS SÛR DE...
JE N'AIME PAS ÇA ....
MOI NON PLUS ...

POURTANT, IL ME SEMBLE BIEN...
OÙ EST VASSILI ALEXANDROVITCH, BON DIEU !
...SAIS PAS...

ET CHAVANIDZÉ ?
LOIN DEVANT M'A DIT UN GARDE... IL FAIT UNE HÉCATOMBE...

ИДИТЕ СЮДО !
QU'EST-CE QU'IL DIT ?
IL NOUS DEMANDE DE LE SUIVRE ...

IL EST ARRIVÉ QUELQUE CHOSE ?
ON SE LE DEMANDE ...

SEIGNEUR, QUE FAIRE ?
TIRER, C'EST TROP RISQUÉ ...
IL VA CHARGER ...
BILAL
50

BLAM

QUI A TIRÉ ?!?
C'EST VASSILI ALEXANDROVITCH !
FANTASTIQUE COUP DE FUSIL !

ÇA S'ARROSE ! TU NOUS AS FAIT PEUR IDIOT !!! ON CROYAIT QUE LES PLANS AVAIENT ÉTÉ CHANGÉS ET QUE ...
BOUCLE LA ! C'EST TOI L'IDIOT !

BRAVO VASSILI !
ÇA VA, TADEUSZ ?
RIEN DE GRAVE, MES AMIS ... MAIS IL ÉTAIT TEMPS ...

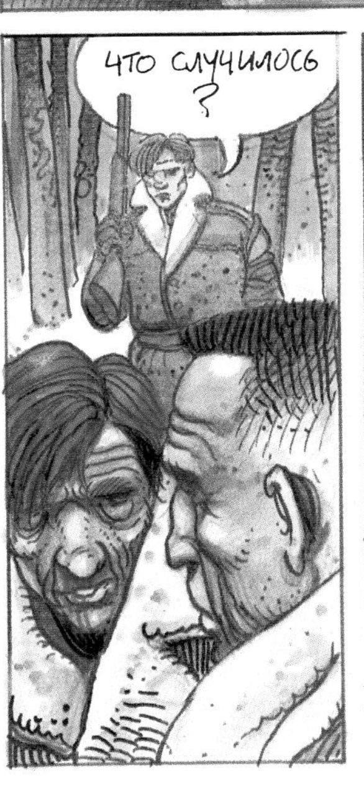
ЧТО СЛУЧИЛОСЬ ?

EXPLIQUE-LUI CE QUI EST ARRIVÉ ...
ОН РАНЕН ?
ДА, ЭТО КАБАН ...

...ЭТОГО СЛЕДОВАЛО ОЖИДАТЬ...
SERGUEÏ CHAVANIDZÉ DIT QUE... C'ÉTAIT INÉVITABLE, QUE L'ON NE SE PROMÈNE PAS SANS ARMES AU COURS D'UNE CHASSE ...

AH OUI ? EH BIEN TU VAS LUI RÉPONDRE QUE...

...VOUS N'ALLEZ RIEN LUI RÉPONDRE ! NOUS SOMMES TOUT PRÈS DU PAVILLON OÙ NOUS ATTEND LE DÉJEUNER ...

ON M'Y FERA UN PANSEMENT PENDANT QUE NOUS BOIRONS EN L'HONNEUR DE VASSILI ALEXANDROVITCH QUI VIENT DE M'ACCORDER UNE TROISIÈME VIE...

UNE TROISIÈME VIE ? QUE RACONTES-TU LÀ ?
AH, C'EST UNE LONGUE HISTOIRE ET CERTAINS D'ENTRE VOUS LA CONNAISSENT AU MOINS PAR BRIBES... CAR JE DOIS TROIS VIES MAIS AUSSI TROIS MORTS À VASSILI ALEXANDROVITCH ...
...LA PREMIÈRE VIE QUE JE LUI DOIS C'EST LORSQU'IL EST VENU ME REJOINDRE À ODESSA EN 1938 ALORS QUE J'ÉTAIS EN CONVALESCENCE POUR UNE GRAVE BLESSURE INFLIGÉE PAR LA POLICE POLONAISE À LAQUELLE J'AVAIS ÉCHAPPÉ DE JUSTESSE...
52

NOTRE PARTI VENAIT D'ÊTRE DISSOUS PAR LE KOMINTERN, PRÉTENDUMENT POUR TROTSKYSME, ET CENT DE SES DIRIGEANTS LIQUIDÉS À MOSCOU...
... J'AURAIS DÛ EN ÊTRE ...

PARCE QU'IL SONGEAIT TOUT DE MÊME À L'AVENIR, VASSILI ALEXANDROVITCH M'A FAIT PARTIR SUR UN RAFIOT DE LA MER NOIRE POUR ISTANBUL...
LORSQUE LA PREMIÈRE BOMBE ALLEMANDE EST TOMBÉE SUR VARSOVIE EN SEPTEMBRE 39, J'ÉTAIS DE RETOUR CHEZ MOI CLANDESTINEMENT À SA DEMANDE ...

MAIS J'AVAIS CHOISI DE VIVRE AUX CÔTÉS DE MON PEUPLE, EN JUIF AUTANT QU'EN COMMUNISTE, LA LIQUIDATION DES UNTERMENSCHEN PRÉVUE PAR LES NAZIS...
Juden
EINTRITT
VERB
53

LE GHETTO ! CINQ CENT MILLE PERSONNES Y PASSERONT... IL N'Y AURA QUE DEUX CENTS SURVIVANTS, DONT MOI...

ENFANTS RÔTIS DANS LES INCENDIES ALLUMÉS AU LANCE-FLAMMES, PÈRES ASSASSINANT LEURS FILS POUR LEUR ÉPARGNER L'HORREUR...

CADAVRES CHARRIÉS QUOTIDIENNEMENT À LA BROUETTE, ODEUR DE CHAROGNE RÉGNANT SUR UNE VILLE EN RUINES, J'AI CONNU TOUT CELA...

EN 1943 AU MOMENT DE LA RÉVOLTE DU GHETTO ET TANDIS QUE LES SS FAISAIENT TOUT SAUTER À LA DYNAMITE, C'EST SUR UNE NOUVELLE INTERVENTION DE VASSILI ALEXANDROVITCH QUE MON ÉVASION A ÉTÉ ORGANISÉE... IL FALLAIT RECONSTITUER LE PARTI DÉCAPITÉ ET ON ME PRÉFÉRAIT VIVANT QUE MORT...

APRÈS LA GUERRE J'AI MARCHÉ PLEIN D'ARDEUR AVEC LUI DANS L'IMMENSE CHARNIER PUANT LE CADAVRE DÉCOMPOSÉ SOUS LES GRAVATS EN RÊVANT DE LA RECONSTRUCTION DE MON PAYS DÉVASTÉ...

ENFIN, AUJOURD'HUI COMME VOUS L'AVEZ TOUS VU...
VASSILI ALEXANDROVITCH M'A ACCORDÉ UN NOUVEAU PERMIS DE SÉJOUR SUR CETTE TERRE...
VOILÀ POUR LES TROIS VIES QUE JE LUI DOIS !
ET LES TROIS MORTS ?

LA PREMIÈRE DATE AUSSI D'ODESSA. C'EST LÀ QUE LE PETIT JUIF DE WILNO PASSIONNÉ D'ORGANISATION QUE J'ÉTAIS A DOUTÉ POUR LA PREMIÈRE FOIS DE LA PATRIE DU SOCIALISME, ACHARNÉE À DÉTRUIRE LES MILITANTS COMMUNISTES ÉTRANGERS LES PLUS DÉVOUÉS...

LA SECONDE REMONTE À LA FIN DE LA GUERRE...
J'ÉTAIS DEVENU MEMBRE TITULAIRE DU BUREAU POLITIQUE ET CHARGÉ ENTRE BEAUCOUP D'AUTRES CHOSES DE SUIVRE L'ÉLABORATION DU PALAIS DE LA CULTURE OFFERT PAR SES AMIS SOVIÉTIQUES AU PEUPLE POLONAIS MARTYR...

J'AI VITE COMPRIS LE PRIX QU'IL FALLAIT PAYER AU PROTECTEUR GÉNÉREUX MAIS INSATIABLE, AU GRAND FRÈRE SÛR DE LUI ET INFLEXIBLE, À L'OGRE CRUEL DÉVORANT SES PROPRES ENFANTS ... ALORS J'AI CONNU LA HONTE...
55

CE N'EST POURTANT QU'EN 1967, LORS DE MA TROISIÈME MORT, MA MORT POLITIQUE CELLE-LÀ, QUE J'AI TOUT À FAIT COMPRIS. C'EST VASSILI ALEXANDROVITCH LUI-MÊME QUI EST VENU M'ANNONCER LA NOUVELLE DANS CE PALAIS DE LA CULTURE QUE J'AVAIS JUSTEMENT CONTRIBUÉ À ÉDIFIER...
LE RÉGIME AVAIT BESOIN DE BOUCS ÉMISSAIRES POUR JUSTIFIER SES ÉCHECS. À QUI A-T-ON PENSÉ JE VOUS LE DEMANDE ? AUX RARES JUIFS QUI AVAIENT ÉTÉ OUBLIÉS PAR UN GÉNOCIDE ALLEMAND POURTANT MÉTICULEUX...

DEHORS ON HURLAIT CONTRE LES "MOSZKI DO PALESTINY", LES MOÏSES DE PALESTINE. ET MOI, TADEUSZ BOCZEK, J'ÉTAIS LIMOGÉ ENCORE QUE BIENHEUREUX, GRÂCE À L'INTERVENTION DE VASSILI ALEXANDROVITCH, D'ÊTRE EXPÉDIÉ DANS CETTE CONTRÉE LOINTAINE...

VOILÀ L'HISTOIRE DE MES TROIS VIES ET DE MES TROIS MORTS, AMIS...

SERGUEÏ CHAVANIDZE NE S'ÉTONNE QUE MOYENNEMENT DU TON SYSTÉMATIQUEMENT ANTI-SOVIÉTIQUE DES PROPOS DE MONSIEUR BOCZEK...

...ET IL FAIT REMARQUER QUE VASSILI ALEXANDROVITCH N'A JAMAIS EU LA MAIN HEUREUSE AVEC SES HOMMES DE VARSOVIE...
JUSTE, ÇA...
56

À PROPOS, OÙ EN EST L'HABILE KAZIMIR DUNECKI QUI AVAIT PRIS TA RELÈVE, TADEUSZ ?
HÉLAS, MON BON GÜNTHER, SON HABILETÉ NE LUI A PAS SUFFI. IL A SOMBRÉ DEVANT SOLIDARNOSC EN MÊME TEMPS QUE LES AUTRES, COMME TU SAIS...

ET L'ON M'A MÊME RAPPORTÉ DANS MA RETRAITE QU'IL AVAIT QUITTÉ LE PAYS POUR ENTRER EN TRAITEMENT DANS UNE CLINIQUE DES ENVIRONS DE MOSCOU ...

MAIS LÀ-DESSUS NOTRE CAMARADE SERGUEÏ EN SAIT CERTAINEMENT DAVANTAGE QUE MOI, NON ?
ПАН БОЦЕК, СПРОШИВАЕТЬ ГДЕ СЕЙЧАС НАХОДИТСЯ ПАН ДУНЕЦКИ ...

... Я НИЧЕГО НЕ МОГУ СКАЗАТЬ ПО ЭТОМУ ПОВОДУ ...
MONSIEUR CHAVANIDZÉ N'A PAS DE COMMENTAIRES À FAIRE LÀ-DESSUS ET DÉSAPPROUVE EN TOUT ÉTAT DE CAUSE LA FAÇON DONT LE P.O.U.P. A FAIT FACE À LA CRISE OUVERTE PAR LES ÉLÉMENTS ANTI-SOCIALISTES ET ANTI-SOVIÉTIQUES DE DIVERS GROUPUSCULES ...

HUM... JE M'ÉTONNE MOI AUSSI MOYENNEMENT DE SON JUGEMENT...
LAISSONS CELA ET AMUSONS-NOUS ...
BONNE REMARQUE... LE TEMPS TOURNE AU FROID ET IL VAUT MIEUX REPARTIR MAINTENANT DE TOUTE FAÇON ...

JE VOUS ATTENDS ICI ! MOI, J'AI EU ASSEZ D'ÉMOTIONS POUR LA JOURNÉE ...
ALORS À TOUT À L'HEURE TADEUSZ ...
57

58

SEULEMENT BLESSÉ JEUNE HOMME... LES GARDE-CHASSE DEVRONT L'ACHEVER !
JE SUIS DÉSOLÉ...

ALORS?
ПРЕКРАСНОЕ...

SERGUEÏ CHAVANIDZE EST TRÈS CONTENT...
TANT MIEUX. NOUS POUVONS RENTRER MAINTENANT...

LA NUIT TOMBE...
ET ELLE SERA FROIDE...

BAH, LA DEMEURE EST ACCUEIL-LANTE...
OUI... ET UN PETIT SÉJOUR AU BAR NOUS REQUINQUE-RA...
59

PAS DE PISCINE AUJOURD'HUI ?
NON, MOI EN ATTENDANT LE DINER, J'IRAIS PLUTÔT FAIRE UN TOUR À L'OBSERVATOIRE ...
AH, C'EST UNE IDÉE ÇA !
TU NOUS ACCOMPAGNES VASSILI ALEXANDROVITCH ?

COMMENT ÇA MARCHE, CE TRUC ?
IL FAUT OUVRIR LA COUPOLE VOYONS !

... J'AI TOUJOURS AIMÉ REGARDER LE CIEL ...

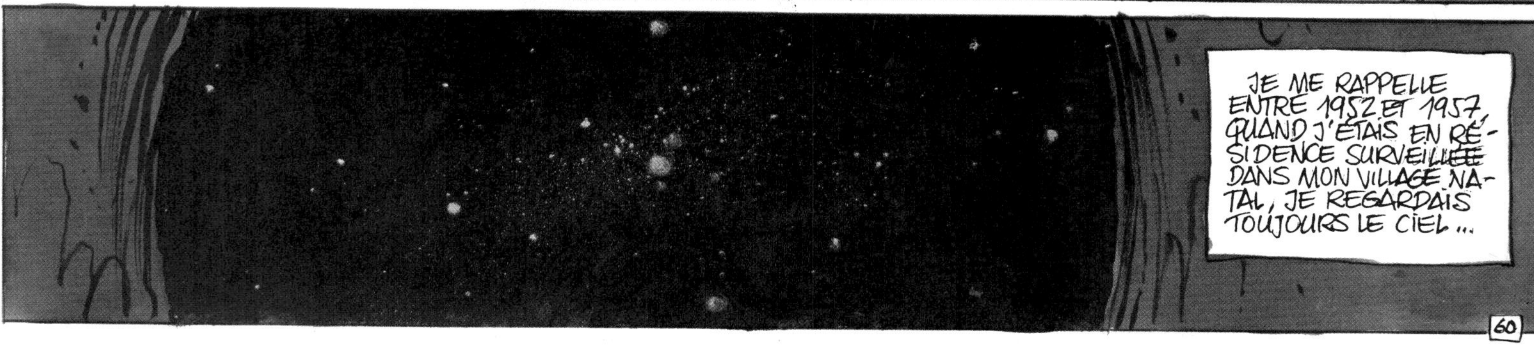
JE ME RAPPELLE ENTRE 1952 ET 1957, QUAND J'ÉTAIS EN RÉSIDENCE SURVEILLÉE DANS MON VILLAGE NATAL, JE REGARDAIS TOUJOURS LE CIEL ...
60

C'ÉTAIT LE MOMENT OÙ TU ÉTAIS EN DISGRÂCE, MALGRÉ TON RÔLE À LA SÉCURITATE DURANT LES ÉPURATIONS ?
EXACT, EVGUÉNI TOMBÉ AVEC ANA PAUKNER, LA TIGRESSE ROUGE, DÉCHUE DE SES FONCTIONS AUX AFFAIRES ÉTRANGÈRES...

QUE VEUX-TU CAMARADE NICOLESCU, C'EST UN RUDE HONNEUR QUE D'ÊTRE MEMBRE DE LA POLICE POLITIQUE DANS UN ÉTAT CONSTITUANT UNE PIÈCE MAÎTRESSE DU GLACIS SOVIÉTIQUE, COMME ON DIT...
BAH...

DISONS EN TOUT CAS QUE ÇA NOUS A APPRIS LA PRUDENCE, À NOUS AUTRES ROUMAINS...
UNE PIERRE DANS MON PETIT JARDIN HONGROIS MERCI...
MESSAGE REÇU CÔTÉ TCHÈQUE ÉGALEMENT, COLLÈGUE...

...VOUS M'EMMERDEZ AVEC VOS PIQUES POLITIQUES !
CE QUE JE DISAIS C'EST QUE SOUVENT JE REGARDAIS LE CIEL, MA MÈRE À MES CÔTÉS...

ET MALGRÉ MON ABATTEMENT, UN RÊVE RÉCURRENT DEPUIS MA JEUNESSE REVENAIT TOUJOURS. C'ÉTAIT EN 1945, RETOUR DE RUSSIE AVEC LE GROUPE GEORGHIU DEJ, QUE JE L'AVAIS FAIT LA PREMIÈRE FOIS...

JE L'AVAIS MÊME RACONTÉ ALORS À VASSILI ALEXANDROVITCH QUI NOUS ACCOMPAGNAIT VERS BUCAREST POUR REPRENDRE LE PAYS EN MAINS APRÈS YALTA...

JE ME VOYAIS CIGOGNE ARRIVANT AU-DESSUS DE MON VILLAGE AUX CHAUMIÈRES COLORÉES, OISEAU DU BONHEUR ET DE LA FÉCONDITÉ
OU PEUT-ÊTRE PÉLICAN PLEIN DE SAGESSE ET DE GÉNÉROSITÉ COMME CEUX QUI HABITENT DANS NOTRE DELTA DU DANUBE ET Y PÊCHENT POUR LEURS MAÎTRES SI PAUVRES...

OU ENCORE OISEAU INCONNU ET PUISSANT TRAVERSANT L'ÉTHER PORTEUR D'UN MESSAGE DE FORCE ET DE JUSTICE...

ET PENDANT MON EXIL INTÉRIEUR, AVANT QUE VASSILI ALEXANDROVITCH NE REVIENNE ME CHERCHER JE VOULAIS À TOUT PRIX REFAIRE CE RÊVE...

... APRÈS ÇA, TU L'AS REFAIT LORS DE TES NOMBREUX VOYAGES OÙ TU ALLAIS PORTER LA BONNE PAROLE DE LA DIPLOMATIE ROUMAINE ?
PARFOIS, VASIL, PARFOIS...

ET AUSSI QUAND TU ROUPILLES AUX SÉANCES DU COMITÉ CENTRAL ?
HUM...

EH BIEN TU AS DE LA CHANCE DE FAIRE UN TEL RÊVE ION NICOLESCU ...
PARCE QUE MOI, JE NE ME REVOIS JAMAIS DU TEMPS OÙ J'ÉTAIS CHEF DES PARTISANS DANS LES PREMIERS MAQUIS DES RHODOPES...
62

ET PAS DAVANTAGE QUAND JE FAISAIS PARTIE DU PREMIER GOUVERNEMENT DIMITROV, AVEC LA BÉNÉDICTION DE VASSILI ALEXANDROVITCH ...

IL A FALLU QUE J'ÉCHAPPE DE PEU À LA PENDAISON POUR CAUSE DE TITISME À CE QU'IL PARAÎT POUR QUE JE ME METTE À RÊVER ...

ET SI VASSILI ALEXANDROVITCH M'A SAUVÉ LA MISE EN FAISANT DE MOI L'ARTISAN DU GRAND BOND DE LA PAYSANNERIE BULGARE, COMME ON DISAIT EN 1958...

C'EST TOUJOURS LE MÊME CAUCHEMAR QUE J'AI DEPUIS...

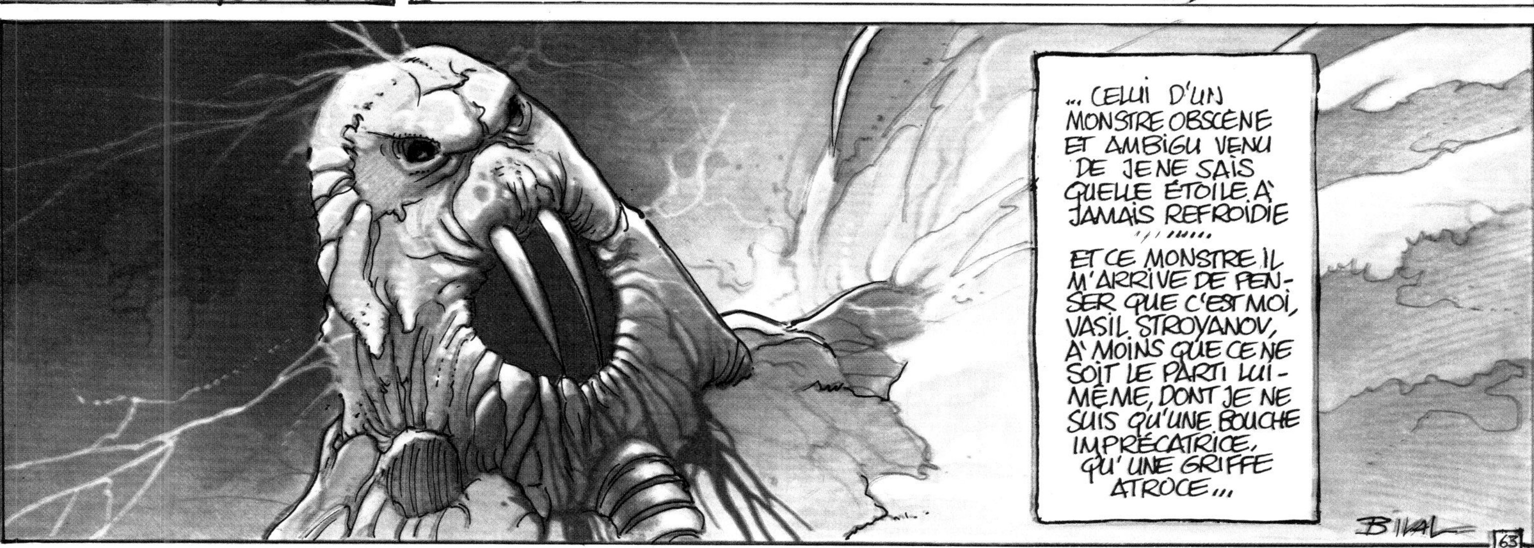
... CELUI D'UN MONSTRE OBSCÈNE ET AMBIGU VENU DE JE NE SAIS QUELLE ÉTOILE À JAMAIS REFROIDIE ......
ET CE MONSTRE IL M'ARRIVE DE PENSER QUE C'EST MOI, VASIL STROYANOV, À MOINS QUE CE NE SOIT LE PARTI LUI-MÊME, DONT JE NE SUIS QU'UNE BOUCHE IMPRÉCATRICE, QU'UNE GRIFFE ATROCE...
BILAL
63

ALLONS, ALLONS, TU BOIS TROP DEPUIS QUE TU OCCUPES TES FONCTIONS POURTANT PUREMENT HONORIFIQUES AU FRONT DE LA PATRIE...
IL SERAIT TROP FACILE DE PARLER DE DÉLIRIUM ...

TIENS, TU ÉTAIS LÀ GÜNTHER ?
OUI, ET J'ÉCOUTE VOS DIVAGATIONS DEPUIS UN MOMENT...

ET ALORS ?
ET ALORS, ELLES NE ME FONT PAS REGRETTER DE M'ÊTRE ÉLEVÉ LORSQU'IL LE FALLAIT CONTRE LA RÉHABILITATION DE KAFKA...

MAIS SI J'AI TOUJOURS SU QU'IL N'ÉTAIT QU'UN ÉCRIVAIN BOURGEOIS RONGÉ PAR LE PESSIMISME...

JE N'AURAIS JAMAIS CRU QUE D'ANCIENS HÉROS RÉVOLUTIONNAIRES COMME VOUS PUISSENT EN ARRIVER À DE PAREILLES PUÉRILITÉS IDÉALISTES ...

DÉSOLÉ D'INTERROMPRE VOS DISCUSSIONS LITTÉRAIRES DISTINGUÉS ESTHÈTES...

... MAIS C'EST LE MOMENT D'ALLER MANGER DE BONNES CHOSES...
ÇA VAUDRA MIEUX QUE D'ENTENDRE CES BALIVERNES ...

DE PLUS EN PLUS SECTAIRE, GÜNTHER, DEPUIS QU'IL SE RAPPROCHE DE CHAVANIDZÉ...
OUI... TU AS RAISON ...

C'EST LA VOIX DE SON NOUVEAU MAÎTRE, MAINTENANT, ET C'EST DANGEREUX POUR NOS AFFAIRES, ÇA...
TAIS-TOI, ION NICOLESCU! NOUS SAVONS TOUS À QUOI NOUS EN TENIR SUR GÜNTHER. INUTILE DE REVENIR LÀ-DESSUS, TOUT EST PRÉVU...

TU AS RAISON MANGEONS TRANQUILLES...
ET BUVONS GAIEMENT...

НА ЗДОРОВЬЕ !

HIC...

СПОСИБО... СПОКОЙНОЙ НОЧИ...

ÇA Y EST IL A ENCORE PERDU ...

MOI, JE VOUS DIS QUE DÉCIDEMENT IL EST FÂCHÉ ...

BONSOIR... ET FAITES DE BEAUX RÊVES ...
JE N'AI PAS VRAIMENT LA TÊTE À ÇA ...
QUI L'A ?

66

ÇA Y EST. ON A TOUT ? FUSILS, MUNITIONS, JUMELLES ?
VODKA ?
IL FAIT UN DE CES FROIDS...
LÀ-HAUT CE SERA ENCORE PIRE...

QU'EST-CE QUI EST PRÉVU AUJOURD'HUI ?
L'OURS PETIT CURIEUX... PAS DE GRANDE CHASSE SANS OURS DES MONTAGNES...
LA NEIGE NE VA PAS GÊNER ? ON N'Y VOIT RIEN...
AUCUNE IMPORTANCE ! J'AI EU UN APPEL ONDES COURTES À L'AUBE. L'ANIMAL EST REMONTÉ EN ALTITUDE MAIS IL REVIENDRA...
ЖБ
VOUS EN ÊTES SÛR ?
HÉ, HÉ... TU VOIS BIEN QUE TU T'INTÉRESSES À CES CHOSES BRUTALES...
67

IL REVIENDRA PARCE QU'IL A PRIS GOÛT AU SANG, TOUT SIMPLEMENT ...
JE NE COMPRENDS PAS...

TU VOIS CES CORBEAUX QUI TOURNOIENT INLASSABLEMENT LÀ-HAUT ?
EUH... OUI...

TOUT COMME L'OURS ILS SONT ATTIRÉS PAR LA CHAROGNE DE CHEVAL QUI EST LÀ DEPUIS PLUSIEURS JOURS DÉJÀ...
ON MONTE ?
ON MONTE !

68

HORRIBLE CETTE CHAROGNE..
HOLÀ, PAS DE DÉLICATESSE TARDIVE, JANOS !

QU'EST-CE QU'IL FAIT?
VASSILI ALEXANDROVITCH VA NOUS ASSIGNER NOS POSITIONS DE CHASSE...

... ENSUITE, PLUS PERSONNE NE DEVRA BOUGER... SOUS AUCUN PRÉTEXTE...

BON ! TOUT LE MONDE ÉCOUTE !!!
69

JANOS ET PAVEL, DERRIÈRE LES ROCHERS PLUS BAS !

VASIL ET ION, LÀ-BAS DANS LES FOURRÉS ...

SERGUEÏ, SEUL COMME TU LE SOUHAITES, DANS LE DÉFILÉ...
ПЕРЕВОДУ ВАМ... ...

SERGUEÏ CHAVANIDZÉ N'EST PAS SATISFAIT DE SON EMPLACEMENT... IL DIT QU'IL N'A AUCUNE CHANCE DE RENCONTRER L'ANIMAL...

GÜNTHER ET VASSILI ALEXANDROVITCH, CHACUN D'UN CÔTÉ DU PITON...
EUH... EXCUSEZ-MOI...

TROP TARD POUR DISCUTER ! IL DOIT PARTIR MAINTENANT, IL LE SAIT PARFAITEMENT !!!

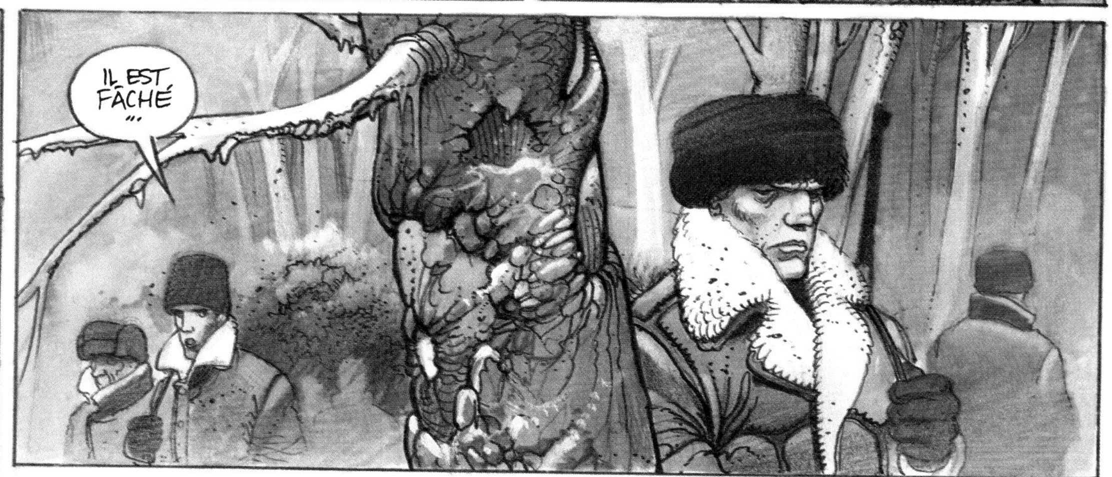
IL EST FÂCHÉ ...

NE T'OCCUPE DONC PAS TOUT LE TEMPS DE SES ÉTATS D'ÂME ET VIENS PAR ICI... LA BÊTE NE DEVRAIT PLUS TARDER...

QUELLE BRUME ...
SSSSCH...
DÉJÀ PRÈS DE DEUX HEURES QU'ON ATTEND...
TAIS-TOI !

ATTENTION !
OÙ ÇA ?!
LÀ, DEVANT ! TU L'AS DANS TA LIGNE DE MIRE !
MAIS...
TIRE !!!
TIRE BON DIEU !
BLAM
BLAM
71

BRAVO !!! TU L'AS EU !
V... VOUS CROYEZ ?

SUIS-NOUS !

MERDE ! C'EST CHAVANIDZE !
POURQUOI CE FOU EST-IL REDESCENDU ?!

QU'EST-CE QUI SE PASSE ?
CE... CE N'EST PAS MOI ! IL Y A EU UN AUTRE COUP DE FEU... JE...

UN AUTRE COUP DE FEU ? TU RÊVES, PETIT CON ! C'ÉTAIT L'ÉCHO !
QU'EST-CE QUE VOUS AVEZ FAIT, HEIN, QU'EST-CE QUE VOUS AVEZ FAIT TAS DE SALOPARDS ?!!?
72

UN ACCIDENT GÜNTHER... UN MALHEUREUX ACCIDENT...
UN ACCIDENT ?!!? BANDE DE TRAÎTRES ANTI-PARTI... C'EST UN ASSASSINAT POLITIQUE VOUS LE SAVEZ PARFAITEMENT !

HÉ, HO, DU CALME M. GÜNTHER-JE-SAIS-TOUT ! SERGUEÏ CHAVANIDZÉ N'A PAS RESPECTÉ LES CONSIGNES DE VASSILI ALEXANDROVITCH ME SEMBLE-T-IL...
ARRÊTE TES CONNERIES VASIL !!!

TOUT ÉTAIT MACHINÉ ! VOUS LUI AVEZ AFFECTÉ UNE MAUVAISE POSITION EN SACHANT PARFAITEMENT QU'IL N'Y RESTERAIT PAS ET CE JEUNE CRÉTIN DE FRANÇAIS, HONTEUSEMENT MANIPULÉ A...
MOI ? MAIS... JE... JE VOUS ASSURE QUE !!...

JE VOUS DÉNONCERAI TOUS ! NE COMPTEZ PAS SUR MON ANCIENNE AMITIÉ POUR COUVRIR CET ATTENTAT IGNOBLE !!!

NE COMPTE PAS SUR LA NÔTRE NON PLUS GÜNTHER...
...N'Y COMPTE SURTOUT PAS...
73

DEUX ACCIDENTS DE CHASSE, COUP SUR COUP DANS LA PAGAILLE C'EST FRÉQUENT...
TRÈS FRÉQUENT ...

BON DIEU ! ON L'AVAIT OUBLIÉ CELUI-LÀ ...
UNE BÊTE SUPERBE POURTANT ... QUI A TIRÉ ?

VASSILI ALEXANDROVITCH, VOYONS... UN PAREIL COUP DE FUSIL...

HORRIBLE... C'EST LE SANG D'HOMME QUI L'A FAIT VENIR...
PAS DE DÉLICATESSE TARDIVE, JANOS, JE TE L'AI DÉJÀ DIT...

ATTENTION, LA FLICAILLE ET LES RABATTEURS REMONTENT! VOUS SAVEZ TOUS CE QUE VOUS AVEZ À FAIRE, N'EST-CE PAS ?
MOI, JE NE LE SAIS PAS ET JE REFUSE DE LE SAVOIR, JE TE PRÉVIENS VASSILI ALEXANDROVITCH!

MOI NON PLUS, JE... JE NE SAIS PAS...

TOI, TU N'ES POUR RIEN DANS TOUT ÇA... ON VA LEUR EXPLIQUER...
MAIS GÜNTHER ?

GÜNTHER NE DIRA RIEN ET LA POLICE NON PLUS... LES ORDRES DE VASSILI ALEXANDROVITCH... ONT FORCE DE LOI ICI COMME EN BEAUCOUP D'AUTRES LIEUX...

TU VOIS... VASSILI ALEXANDROVITCH SAIT TROP DE CHOSES SUR SON COMPTE...

BON, ON DÉGAGE MAINTENANT... QU'ILS EMPORTENT LE CORPS... ET L'OURS BIEN ENTENDU...
БОЖЕ МОЙ!

LA PLUS BELLE CHASSE DE MA VIE, HA, HA, HA...
ÉPARGNE-NOUS L'HUMOUR MACABRE, VASIL VEUX-TU...

MOI J'AI HÂTE DE REPARTIR... AVEC TOUTE CETTE NEIGE J'AI PEUR QUE MA VIEILLE TATRA ME LÂCHE AVANT PRAGUE...
MOI, JE PRÉFÉRERAIS ÊTRE DÉJÀ À BUDAPEST...

... MMM... LA NOUVELLE VA FAIRE DU BRUIT PARTOUT. ET IL FAUDRA L'EXPLOITER RAPIDEMENT...

NE VOUS INQUIÉTEZ PAS, AMIS. J'AI DONNÉ ORDRE QUE VOS BAGAGES SOIENT PRÉPARÉS ET LES TRAINS SPÉCIAUX VOUS ATTENDENT...
ON DÉPOSE PAVEL ET ON FILE À LA GARE ALORS...

C'EST CE QUI EST PRÉVU, JANOS... QUANT AU CORPS, IL VOYAGERA AVEC VASSILI ALEXANDROVITCH...
LOGIQUE TOUT ÇA TADEUSZ...

LES BAGAGES DANS LES VOITURES ! NOUS REPARTONS !

ADIEU VASSILI ALEXANDROVITCH... JE SOUHAITE QUE NOUS NOUS REVOYIONS...
ALORS ÇA VIENT CETTE VOITURE !!!
76

SALUT À TOUS CAMARADES !
SALUT PAVEL !
ET JOYE SERRE...
DRT 19-27

VIENS AVEC NOUS GÜNTHER... TU VAS CREVER DE FROID ...
NON ! JE PARS AVEC LUI...

JE NE COMPRENDS PAS EVGUENI, JE NE COMPRENDS PAS... C'EST UNIQUEMENT POUR FAIRE... ÇA, QUE VOUS M'AVEZ FAIT VENIR ? IL VOUS FALLAIT BEL ET BIEN UN CRÉTIN MANIPULABLE ?
BAH ...

MAIS POURQUOI ? L'ASSASSINAT POLITIQUE C'EST... C'EST UNE MÉTHODE FASCISTE ! LE COMMUNISME A TOUT L'AVENIR DEVANT LUI ! ALORS POURQUOI RECOURIR À D'INFÂMES STRATAGÈMES COMME CETTE CHASSE TRUQUÉE ?
ALLONS, ALLONS ...

FAIS UN EFFORT CAMARADE TOUS CES HOMMES QUE TU AS RENCONTRÉ NE REPRÉSENTENT PAS QU'EUX-MÊMES ...
JUSTEMENT ! L'HISTOIRE N'EST PAS FAITE PAR LES INDIVIDUS ! C'EST LES MASSES QUI COMPTENT !

TSSS... LES MASSES ! LAISSE-MOI RIRE ! SI VASSILI ALEXANDROVITCH ET CES VIEUX MILITANTS QUE TU AS VUS AUTOUR DE LUI ONT JUGÉ BON DE METTRE FIN AUX ACTIVITÉS DU NOUVEAU GRAND MAÎTRE DES RELATIONS AVEC LES PARTIS FRÈRES, C'EST PARCE QUE LES MASSES EN SONT BIEN INCAPABLES ...
DÉCIDÉMENT JE NE COMPRENDS PAS...
77

TU ES TOUJOURS AUSSI NAÏF ALORS... MAIS VASSILI ALEXANDROVITCH, LUI, A PERDU SA NAÏVETÉ DEPUIS TRÈS LONGTEMPS...

DEPUIS LA MORT DE VERA NIKOLAEVNA TRETIAKOVA PEUT-ÊTRE ?

SON DERNIER GESTE POLITIQUE, C'EST CELUI D'UN GRAND MARXISTE, CONTRAIREMENT À CE QUE TU PENSES. C'EST LE GESTE D'UN HOMME QUI CROIT À LA RÉVERSIBILITÉ DE L'HISTOIRE...
JE NE...

JE SAIS... TU NE COMPRENDS PAS... ESSAYE POURTANT !... VOIS-TU, VASSILI ALEXANDROVITCH, PRÉCISÉMENT PARCE QU'IL PENSE TOUJOURS AUX MASSES ET À LEURS SOUFFRANCES, A PRIS CONSCIENCE DE L'IMMOBILISME MORTEL QUE SON ACTION, À LUI, PARMI BIEN D'AUTRES, FAISAIT PESER SUR LES PAYS DU BLOC...

ET AVANT DE MOURIR IL A VOULU SOULEVER LE COUVERCLE. CE COUVERCLE QU'UN SERGUEÏ CHAVANIDZE VOULAIT MAINTENIR HERMÉTIQUEMENT CLOS AU NOM DES INTÉRÊTS RUSSES...
ÉVGUENI, COMMENT PEUX-TU PARLER AINSI DE TA PATRIE ? DE LA PATRIE DU SOCIALISME ?!!
MA PATRIE JE M'EN FOUS. MOI, JE SUIS UN VÉRITABLE INTERNATIONALISTE, COMME VASSILI ALEXANDROVITCH. ET JE VEUX QUE LES DÉMOCRATIES POPULAIRES PUISSENT CHOISIR LEUR PROPRE VOIE...

S'IL EN EST ENCORE TEMPS...
VOUS ÊTES FOUS !

MAIS NON, NOUS NE SOMMES PAS FOUS ! PLEINS D'ESPOIR AU CONTRAIRE !...
ET MOI, MON ESPOIR, C'EST QUOI MAINTENANT ? TU Y A PENSÉ, À ÇA ?
78

AHEM... IL FAUDRA QUE TU RESTES À MOSCOU UN PEU PLUS LONGTEMPS QUE PRÉVU, LE TEMPS QUE LES CHOSES SE TASSENT...

... ET IL FAUDRA QUE TU APPRENNES À VIVRE AVEC UN SECRET SANGLANT COMME TANT D'ENTRE NOUS...
... À VRAI DIRE TU N'AS PAS À T'EN FAIRE PUISQUE C'ÉTAIT BEL ET BIEN UN ACCIDENT EN CE QUI TE CONCERNE... NOUS AVONS PRIS TOUTES LES PRÉCAUTIONS NÉCESSAIRES...

TOUT MARCHE PARFAITEMENT BIEN CAMARADES. J'AI DÉJÀ TÉLÉPHONÉ À DES AMIS DE VARSOVIE POUR LEUR FAIRE PART DU... EUH... DÉCÈS. ILS SONT ABSOLUMENT DÉSOLÉS BIEN SÛR...

DE TOUTE FAÇON, NOUS SAVONS TOUS QUI SERA LE PROCHAIN RESPONSABLE AU COMITÉ CENTRAL DES RELATIONS AVEC LES PARTIS FRÈRES ... N'EST-CE PAS ÉVGUÉNI GOLOZOV... TOUTES MES FÉLICITATIONS ...

LA MALENCONTREUSE PARENTHÈSE CHAVANIDZÉ EST CLOSE. BON VOYAGE AUX VIVANTS...
... ET AU MORT ...

79

ADIEU VASSILI ALEXANDROVITCH ...
VEILLE À TA SANTÉ PETIT PÈRE...
NOUS VEILLERONS À LA NÔTRE ...

ET CE FRANÇAIS LÀ ?
EXPULSÉ ! IL N'A RIEN COMPRIS ET LES GENDARMES LOCAUX PAS DAVANTAGE...

J'IGNORE SI NOUS NOUS REVERRONS VASSILI ALEXANDROVITCH, MAIS JE TE REMERCIE DE M'AVOIR UNE FOIS DE PLUS DONNÉ LA CHANCE DE SERVIR LA CAUSE DU SOCIALISME ...

OUI, JE TE REMERCIE POUR CETTE TROISIÈME ET DERNIÈRE VIE... ADIEU...

BON, ALLONS-Y ! ON M'ATTEND À MOSCOU !

KROL
OWKA
ГБД
BILAL

VODKA ?
OH OUI !

...ET LUI... À QUOI PEUT-IL BIEN PENSER MAINTENANT ?

TAШKEHT
EST-CE QUE JE SAIS ......

MAINTENANT LAISSE-MOI TRAVAILLER, VEUX-TU ? J'AI BEAUCOUP DE DOSSIERS À CONSULTER...
...JE COMPRENDS EVGUENI, JE COMPRENDS ...
81

BLAM
К С П Р

VERA
NIKOLAEVNA
TRETIAKOVA
1895-1937
VASSILI
ALEXANDROVITCH
TCHEVTCHENKO
1895-1983

FIN

*Il a été tiré de cet album 1300 exemplaires dont
100 hors commerce et 1200 numérotés de 0001 à 1200 constituant
l'édition originale de "PARTIE DE CHASSE" de Pierre CHRISTIN et Enki BILAL*